De la Asociación Civil Museo Marítimo de Ushuaia

Cuando en 1994 un grupo de ciudadanos nos hicimos cargo del pabellón 4 del ex Presidio de Ushuaia, mediante un convenio con la Armada Argentina y refrendado por el Gobierno Provincial, no imaginábamos que luego de 2 años alcanzaríamos lo que es hoy el Museo Marítimo de Ushuaia. Es importante aclarar en esta pequeña introducción que las instalaciones del ex Presidio de Ushuaia se encuentran dentro de la Base Naval Ushuaia Almirante Berisso.

En aquel entonces fuimos alentados y a la vez desalentados por el Sec. Gral. Naval, Vice Almirante Alfredo A. Yung y por los sucesivos Comandantes del Area Naval Austral Dn. Daniel A. Fussari, Dn. Carlos A. Berisso y Dn. Horacio A. Fisher. Al decir alentados y desalentados nos referimos a que a la iniciativa inicial de un Museo Marítimo se le fue sumando el recupero de un pabellón, con todos los inconvenientes y desafíos al ser los medios económicos más que escasos: todo se resume a lo recaudado con el valor de la entrada, aportes de empresarios y de las ventas del local de souvenirs.

En la actualidad estamos encarando la posibilidad de comenzar los trabajos en el pabellón 1 o "Histórico" y ampliar las muestras de la Dirección Nacional del Antártico y del Servicio de Hidrografía Naval. Por otra parte éste es el segundo libro publicado por la Asociación del Museo Marítimo de Ushuaia (el primero fue "Los Yamana" N. de los Ed.) y se está trabajando en el segundo video que trata sobre el Presidio y el Museo Marítimo.

Con la Secretaría de Acción Social Provincial se encaró la construcción de una réplica del cúter "Luisito" del legendario Luis Piedra Buena, a escala 1:1, con adolescentes aportados por la Secretaría y materiales y dirección aportados por el Museo. La intención es que además de aprender sobre construcción naval, luego puedan aprender a navegar a vela por el canal Beagle. Es nuestro deseo que en 3 años más el proyecto esté ya en su faz de ser botado.

No queremos ser injustos al dejar sin nombrar a muchas otras autoridades que colaboraron constantemente con nosotros como el Cap. de Navío Alejandro Uberti; al Cap. Fragata Alvaro Martínez; al Cap. Fragata Ricardo Otero; al Cap. Navío Carlos E. Ereño, del Serv. de Hidrografía Naval; al Cap. de Navío Arturo J. Cancela, Jefe del Comando de Transportes Navales, al Cap. de Fragata Carlos Piccone, Jefe del Comando del Area Naval Antártica; al Cap. de Fragata Raúl E. Benmuyal; al General Leal de la Dirección Nacional del Antártico; Al Dr. Ricardo Capdevila y al Lic. José Gallo, ambos de la D.N.A.; Dr. Favio Fraga, del Museo Bernardino Rivadavia; a Oscar Zanola, Director del Museo del Fin del Mundo; a Carlos Ponce, Jefe del Correo Argentino de Ushuaia, al Jefe de la Policía Provincial Dn. Carlos Tejo; a la Dir. del Museo Penitenciario de la Nación Sra. María del Carmen Raggio de Villalba; al Dir. de Turismo de la Municipalidad de Ushuaia Sr. Julio Lovece y al Sr. Intendente Ing. Garramuño que prometió colaborar en los trabajos del "ala histórica".

En esta larga lista sería inevitable que a alguno dejáramos en el tintero, a todos ellos muchas gracias y disculpen la omisión.

También es importante destacar que al momento de entrar en prensa esta edición se estudiaba en ambas Cámaras del Excelentísimo Congreso de la Nación, el proyecto de una ley para declarar al ex Presidio de Ushuaia Monumento Histórico Nacional con la intención de preservarlo en el tiempo por lo que representó para Ushuaia como ciudad y su trascendencia geo-política en la región. Los responsables del proyecto han sido el Diputado Nacional por Tierra del Fuego Don Jorge Muriel y el Senador por Tierra del Fuego Don Carlos Manfredotti.

El Museo Marítimo de Ushuaia es sede del Instituto Browniano de Ushuaia y exhibe "Muestras Permanentes" del Museo Penitenciario Nacional; del Correo Argentino; de la Policía Provincial; de la Dirección Nacional del Antártico; del Servicio Hidrográfico Naval; además de la elogiada colección de Modelos Navales que reseñan la historia de la Provincia, realizada en su totalidad por el Ing. Mario Gonik, y una exhibición filatélica de la región a cargo de los filatelistas Cecilia A. M. Illa y Sergio Zagier.

Nos pareció importante aclarar estos puntos dado que no es común que una entidad civil actúe dentro de una base naval con acceso libre al público.

Por la Asociación Civil Museo Marítimo de Ushuaia
Lic. Carlos Pedro Vairo

Maritime Museum of Ushuaia Civil Association

When in August 1994, as a group of citizens, we took over pavilion number 4 of the former Prison of Ushuaia —through an agreement with the Argentine Navy countersigned by the provincial government—, we did not imagine that, after two years, we would achieve what the Maritime Museum of Ushuaia is today. It is important to make it clear in this brief introduction that the premises of the former Prison of Ushuaia belong to the Base Naval Ushuaia (Naval Base of Ushuaia): Almirante Berisso.

At that time we were both encouraged and discouraged by the Sec. Naval (Secretary-general of the Navy), Vice Admiral Alfredo A. Yung and by the successive Comandantes del Area Naval Ushuaia (Commanders of the Naval Austral Area), Daniel A. Fussari, Carlos A. Berisso and Horacio A. Fisher. When saying encouraged and discouraged at the same time, we refer to the fact that, to the original idea of a Maritime Museum, the restoration of a pavilion was added with all the difficulties and challenges that this implies since resources are limited: the amount collected from the entrance tickets, the companies' contribution and the profits of the souvenirs shop.

Nowadays, we are considering the possibility of starting works in Pavilion 1 or "Historical" and of increasing the number of exhibits of the Dirección Nacional del Antártico (D.N.A., Antarctic National Direction) and of the Servicio de Hidrofrafía Naval (Naval Hidrographic Service). On the other hand, this is second book issued by the Maritime Museum of Ushuaia Civil Association (the first is "Los Yamana"), and second video on the Prison and the Maritime Museum is being produced.

Fostered by the Secretaría de Acción Social Provincial (a provincial secretariat in charge of the social security) and the Association, a replica of the "Luisito" cutter (to a scale of 1 to 1), which belonged to the legendary Luis Piedra Buena, is being built by local adolescents. The Secretariat co-ordinates the participation of the teenagers and the Museum provides the material and directs the project. The aim is that these adolescents learn how to sail along the Beagle Channel, apart form getting acquainted with naval building. Our objective is to launch the vessel in three years' time.

It would be unfair not to mention the many authorities who permanently collaborated with us, such a Cap. de Navío Alejandro Uberti; Cap. de Frag. Alvaro Martínez, Cap. de Frag. Ricardo M. Otero, Cap. de Navío Carlos E. Ereño, of the Servicio de Hidrografía Naval; Cap. de Navío Arturo J. Cancela, Chief of the Naval Transports Command; Cap. de Frag. Carlos Piccone, Chief of the Naval Antarctic Area; Cap. de Frag. Raúl E. Benmuyal; General Edgard Leal of the Dirección Nacional del Antártico; Dr. Ricardo Capdevila and Licentiate José Gallo, both from the D.N.A.; Dr. Favio Fraga of the Bernardino Rivadavia Museum; Oscar Zanola, Director of the End of the World Museum; Carlos Ponce, head of the Correo Argentino (Argentine Mail) of Ushuaia; the provincial Chief of Police, Carlos Tejo; Dir. of the National Penitentiary Museum, María del Carmen Raggio de Villalba; Dir. of Tourism of the Municipality of Ushuaia, Julio Lovece and to the Intendant Eng. Garramuño, who promised to celebrate on the works of the "historical wing".

There might be some omission on this list, is the case we apologize for it and give thanks.

It is also important to point out that, at the time this book is print, both chambers of the National Congress are considering a bill to declare the former Prison of Ushuaia National Monument in order to preserve it since it was important to Ushuaia as a town and also because of its geopolitical relevance in the region. The bill has been put forward by National Deputy representing Tierra del Fuego, Jorge Muriel and Senator Carlos Manfredotti representing the same province.

The Maritime Museum of Ushuaia lodges the Instituto Browniano of Ushuaia and shows "Permanent Exhibits" of the National Penitentiary Museum, the Correo Argentino, the Provincial Police, the Dirección Nacional del Antártico, the Servicio Hidrográfico naval; apart from the praised collection of naval models which outline the history of the province —completely built by Eng. Mirón Gonik— and a philatelic exhibit of the region in charge of philatelists Cecilia A. M. Illa and Sergio Zagier.

We Thought it important to make these points clear as it is not common to find a civil organizations ours working in a Naval Base visited by the public.

Maritime Museum of Ushuaia Civil Association
Licenciate Carlos Pedro Vairo

EL PRESIDIO DE
THE PRISON OF
USHUAIA

EL PRESIDIO DE
THE PRISON OF
USHUAIA

Una colección fotográfica · *A Photo Collection*

Lic. Carlos Pedro Vairo

EN EL PRESIDIO
9410 USHUAIA - TIERRA DEL FUEGO - ARGENTINA

ZAGIER & URRUTY
PUBLICATIONS

ZAGIER & URRUTY
PUBLICATIONS

P. O. Box 94 Sucursal 19 — 1419 Buenos Aires — Argentina
TEL (54-1) 572-1050 — FAX (54-1) 572-5766

SOLICITE CATALOGO — *ASK FOR CATALOG*

A mis sobrinos Lucila, Jorge, Gustavo, Juan César, María Paula,
Maia, Lucía, Ramiro, Mariano, y al que está llegando...

Contents

Contenidos

Introducción
Introduction

Aunque parezca mentira, este libro es el resultado involuntario de un trabajo sobre Ushuaia y Tierra del Fuego en general. Con varios colaboradores estábamos preparando un libro con muchas fotos que muestra la evolución de Tierra del Fuego y, en particular, de Ushuaia. Pero resultó que en la investigación y búsqueda de fotos en archivos y en poder de Museos y particulares el material sobre el Presidio creció considerablemente. Por otra parte, si bien sabíamos que el tema era importante y merecía un gran capítulo, nunca pensamos que ese capítulo crecería tanto hasta formar un libro.

De los testimonios de los antiguos pobladores que vieron y padecieron los brutales cambios de Ushuaia mucho ha quedado para el otro libro donde el Presidio no es el principal tema, aunque también se lo toca someramente.

En la bibliografía se puede ver el material consultado y se trató de rescatar de todos ellos los puntos coincidentes con la mayor objetividad. El problema radica en que mucho de lo publicado es muy tendencioso y no lo trata de ocultar. Por otra parte, esos trabajos están agotados hace tiempo y tratan al tema en un momento muy particular del Presidio. Nosotros tratamos de hacer un pantallaso un poco más grande: desde que empezaron a llegar "presos" en 1884, hasta el cierre en 1947. Sobre la Gobernación Marítima y la Base Naval queda para el otro libro.

Lamentablemente los legajos de los presos se perdieron en los sótanos de la Penitenciaría Nacional. Sabemos que existe más material en manos de particulares a los que no tuvimos acceso por no saber quiénes son o porque nos lo han negado.

Para el importante y fundamental trabajo de investigación en archivos tuve la colaboración de la historiadora Francis Gatti, quien pasó largas horas revolviendo papeles. También lo hizo con el libro Los Yamanas y ahora lo está haciendo con el de Ushuaia y Tierra del Fuego. Las desgrabaciones también fueron realizadas por Francis Gatti.

Las fotografías publicadas son reproducciones de originales en muy mal estado. En ocasiones se trataba de pequeñas fotos ajadas, manchadas y decoloradas de álbumes familiares

Although it seems to be incredible, this book is the unwilling result of researches on Ushuaia and Tierra del Fuego in general. Several collaborators and I were working on a book with many photographs which show the evolution of Tierra del Fuego and, especially, of Ushuaia. But while we were doing research and looking for photographs belonging to archives, museums and private citizens, the material about the Prison grew substantially. On the other hand, although we knew that this subject was important and deserved a long chapter we had never figured that it would grow to such extent so as to become a book by itself.

Part of the testimonies of the old settlers who suffered the brutal changes underwent by Ushuaia has been reserved for the other book in which the Prison is not the main subject, even when it is briefly mentioned.

In the bibliography, there is a list of the material consulted. All coincident points were rescued as objectively as possible. The problem lies in the fact that most data published on the subject is openly slanted. On the other hand, those works are long exhausted and deal with this subject in a quite special moment of the Prison. We tried to cover a longer period -from 1884 when the first "prisoners" arrived till the closing of the Prison in 1947. The Maritime Government and the Naval Base will be dealt with in the other book.

Unfortunately, the prisoners' personal files were lost in the National Penitentiary. We know private citizens keep further material we could not have access to because either we could not track them down or they rejected our seeing it.

The historian Francis Gatti collaborated in carrying out the important and essential research work in files, which took her long hours going over papers. She is now doing the same for the book about Ushuaia and Tierra del Fuego just as she did for the one about the Yamanas. The transcriptions of the interviews were in charge of Francis Gatti as well.

The photographs published in this book are reproductions of originals which were in very bad conditions. In some cases they were small rumpled, stained, discolored photographs from familiar albums that the Prison's employees used to send to their relatives in the north.

que enviaban empleados de la Cárcel a sus familiares en el norte. Otras eran de conscriptos que con sus pequeñas cámaras tomaban fotos cuyos negativos se perdieron en el tiempo y las fotos de no más de 5 x 5 cm estaban más que maltrechas. Algunas son de postales y otras tomadas de libros. El material utilizado fue una Canon A1 y rollos Kodak Blanco y Negro TMX, sub exponiendo un punto. Las lentes usadas son un macro Canon y lentillas de aproximación Hoya. El trabajo de laboratorio fue realizado por Alfredo Emilio Saez. Tanto para la elección del material como en la colaboración en las tomas estuvo Cecilia Adela María Illa.

La Armada Argentina brindó una importante colaboración, institución que molestamos tanto en la biblioteca de la Base Naval Ushuaia como en Casa Amarilla, en la cual, con autorización del Cap. Nav. Eduardo R. Ramos, la Sra. Dora Martínez encontró antiguas y raras fotos de Ushuaia y sus barcos.

La entusiasta Srta. Claudia Barbieri me alentó ya desde hace muchos años a que escribiera, los lectores ya saben a quién quejarse, y ayudó en las correcciones. Luis Mario Rivero es el responsable de gráficos y dibujos, como así también el Ing. Mirón Gonik con su interpretación de planta de Puerto Cook, Isla de los Estados.

En varios puntos de la obra se van a encontrar con una llamada que envía a los anexos. En ellos uno podrá encontrar decretos, leyes y demás material que amplía el tema. Se decidió hacerlo de esa forma para hacer el trabajo lo mas ágil posible.

Un agradecimiento muy especial a todos aquellos que molestamos con horas de grabador, consultas telefónicas e incómodas cámaras: Jorge Horacio Gutiérrez Millán, J. C. García Basalo, Alfonso Lavado, Luz Marina Jerez, Manuel Buezas, María del Carmen Raggio de Villalba, Juan Bernales, Julio Canga, Margarita Wilder, Lucinda Otero, Josefina de Estabillo, Enrique Inda, Rubén Muñoz, Oscar P. Zanola, Marta Saenz, Griselda Pérez de Plaza y al entusiasta Benegas.

No menos que muchas gracias le podemos decir al personal del Museo Penitenciario Argentino, a Carmen Gómez y Cristina Díaz; a su Asociación de Amigos; al Museo del Fin del Mundo y también a su Asociación de Amigos.

Others belonged to recruits that with their small cameras took photographs which negatives were lost in time and photographs no larger than 5 x 5 cm were really damaged. Some photographs are postcards, and others taken from books. The equipment used consisted of a Canon A1 and Black and White TMX Kodak roll film, sub exposing a point. A Canon macro and approximation lens Hoya were used. Alfredo Emilio Saez worked in the laboratory. Cecilia Adela María Illa collaborated both in the selection of the material and in the takes.

The Argentine Navy offered an important collaboration — we worked in the library of the Naval Base of Ushuaia and in Casa Amarilla, where Mrs. Dora Martínez (authorized by Mr. Eduardo R. Ramos) found some old and rare photographs of Ushuaia and its ships.

The enthusiastic Miss Claudia Barbieri has been encouraging me for years to write —so now readers know who they have to complain to— and she also helped correcting. Luis Mariano Rivero was responsible for the diagrams and drawings and well as engineer Mirón Gonik who interpreted the plan of Puerto Cook, in Isla de los Estados.

In several passages of this work you will find a reference mark to the annexes. There you will find decrees, laws and further material on the subject. It was decided to organize the information in this way so that the work were as easygoing as possible.

We are specially grateful to the following people to whom we disturbed for long hours with our recorders, telephone inquiries and bothersome cameras: Jorge Horacio Gutiérrez Millán, J. C. García Basalo, Alfonso Lavado, Luz Marina Jerez, Manuel Buezas, María del Carmen Raggio de Villalba, Juan Bernales, Julio Canga, Margarita Wilder, Lucinda Otero, Josefina de Estabillo, Enrique Inda, Rubén Muñoz, Oscar P. Zanola, Marta Saenz, Griselda Pérez de Plaza, and the enthusiastic Benegas.

Our thanks to the staff of the Argentine Penitentiary Museum: Carmen Gómez and Cristina Díaz and its Society of Friends; to the End of the World Museum and its Society of Friends.

Colección fotográfica
Photo Collection

Faro de San Juan de Salvamento, Isla de los Estados. Foto c. 1898. En su momento fue la única luz que brilló indicando la existencia de tierra, desde el Río de la Plata hasta el fin del mundo.

San Juan de Salvamento lighthouse, Isla de los Estados. (Photograph c. 1898). At that time this was the only light that shone marking the existence of land from the River Plate down to the end of the world.

Edificios de la Sub Prefectura de San Juan de Salvamento. Foto tomada desde el muelle, circa 1898. En el lugar funcionó el primer "Presidio Militar" desde 1884.

Subprefecture premises in San Juan de Salvamento. Photograph taken from the pier, circa 1989. The first "Military Prison" was set up here in 1884.

Isla Observatorio del grupo de islas de Año Nuevo. Además del observatorio magnético, en 1902 se inauguró el faro que reemplazó al de San Juan de Salvamento.

Observatorio —one of the Año Nuevo islands. In 1902 the lighthouse that replaced San Ju4 y 5) Presidio Militar de Puerto Cook. Funcionó hasta 1902 cuando fue trasladado a Ushuaia.

Presidio Militar de Puerto Cook. Funcionó hasta 1902 cuando fue trasladado a Ushuaia.

Military Prison in Puerto Cook. It worked till 1902, when it was moved to Ushuaia.

Presidio Militar de bahía Golondrina. Al oeste de la ciudad de Ushuaia. Funcionó hasta 1911.

Military Prison in Golondrina bay situated to the west of the town of Ushuaia. It was closed in 1911.

Primera Cárcel de Ushuaia (1896).
Cerca del mar tenía una casa
habitación y una cuadra con ocho
celdas de madera y chapa.

*The first Prison of Ushuaia (1896).
There was a house and a square
with eight cells made of wood and
sheet metal.*

Cárcel de mujeres.

Women's prison.

Vistas del aserradero a fines del 1800. Nótense las precarias construcciones y el muelle.

Views of the sawmill towards the end of 1800. Note the precarious constructions and the pier.

Ushuaia, a la izquierda vemos la iglesia que daba sobre la calle Maipú. El bosque rodeaba la ciudad a principios del siglo XX.

Ushuaia, on the left, we can see the church on Maipú St. At the beginning of the 20th century, the town was surrounded by woods.

Dos vistas de Ushuaia desde el mar. En la primera a la derecha vemos la Cárcel de Ushuaia con su muelle y retén. Le sigue la casa de Gobierno, Policía, Sub Prefectura, hotel, etc. Sobre la actual calle San Martín aparecen las primeras construcciones.

Two different views of Ushuaia from the sea. We can see the Prison of Ushuaia with its pier and reserve in the first one on the right. Next, the Government House, Police Station, Subprefecture, hotel, etc. The first buildings appear along present San Martín St.

1902. Ceremonia donde se colocó la piedra fundamental del Presidio, inaugurándose su construcción.

The Prison's foundation stone was placed during this ceremony in 1902. Thus, the construction was inaugurated.

Desde la cantera se llevaban las piedras en vagonetas con rieles de madera (Xylocarril).

Stones were transported on small wagons with wooden rails (Xylocarril) from the quarry.

Construcción del Pabellón 1 (Actual
ala Histórica).

*The building of Pavilion 1 (Present
Historical wing).*

Fábrica de ladrillos del presidio.

The prison's brickyard.

Fábrica de ladrillos del presidio.

The prison's brickyard.

El trabajo en la cantera del presidio.

Works in the prison's quarry.

Presidiarios en el trabajo de
construcción del edificio.

Prisoners constructing the building.

También eran enviados a realizar trabajos en la ciudad.

They were also sent to work in town.

Puerta principal al presidio.

The prison's main door.

Para los trabajos más pesados se usaban largos tiros de bueyes.

Large oxen teams were used for the heaviest works.

Trabajos en el Presidio bajo custodia
de los guardiacárceles.

*Works in the Prison watched over by
warders.*

Retén principal.

Main reserve.

Guardias, garitas y guardiacárceles.

Guards, sentry boxes and warders.

Panadería del Presidio con su vía para la entrada de vagonetas portando leña.

The Prison's bakery with its own rail for the entrance of open carts carrying firewood.

Vista parcial de la cocina del presidio y el Pabellón 1.

Partial view of the prison's kitchen and Pavilion 1.

Las vías para las vagonetas se extendían a todo lugar donde se trabajase.

Rails for open carts extended to every place there was some work.

Fabricación de ladrillos y talleres del presidio.

Manufacturing of bricks and the prison's workshops.

Interior del Pabellón 1. Nótense los tubos
—chimenea de 2 tambores para quemar
leña—. Las paredes sin revocar.

*The interior of Pavilion 1. Note the pipes
—two-tamboured chimney to burn
firewood—. Walls without plastering.*

Pose para la foto. / *Pose for the photograph.*

Desde la entrada principal al edificio. Un guardiacárcel custodia con fusil y bayone-ta calada. De fondo se ve el mar de la bahía de Ushuaia.

A warder watches over with rifle and fixed bayonet at the main entrance of the building. We can see the sea in Ushuaia bay as background.

Formación de los reclusos ante la Rotonda para recibir a alguna autoridad. Nótese la presencia de la banda. También vemos las vías para las vagonetas. Recorrían todo el predio del presidio. Incluso llegaban hasta la quinta.

Convicts' formation before the Roundabout ready to welcome some authority. Note the band. We can also see the rails for open carts which used to go about all the prison. They even reached the orchard.

Un entierro. El cortejo fúnebre pasaba por la actual calle San Martín.

A burial. The funeral used to walk along present San Martín St.

Cementerio de la ciudad.

The town cemetery.

Presidio de Ushuaia durante el invierno de 1945.

Ushuaia's Prison in the winter of 1945.

Celebración de la misa al aire libre en el Presidio.

Mass celebration at the Prison in the open air.

Los presos junto a varios guardianes y guardiacárceles posando sobre una ballena que ingresó a la bahía de Ushuaia (1904?).

Prisoners and some guards and warders posing on a whale that had entered Ushuaia bay (1904?).

Práctica del grupo de bomberos del Presidio.

The Prison's firebrigade practicing.

Requisa de los hombres realizada por los guardianes y vigilada por los guardiacárceles. Esto se producía cada vez que iban a ingresar nuevamente al Presidio.

Round of inspection in charge of guards and watched over by warders. This procedure took place every time convicts were back into the Prison.

Usina del Presidio.

The Prison's power plant.

Grupo de penados listos para salir a trabajar.

A group of convicts ready to go out to work.

Enfermería (1930).

Infirmary (1930).

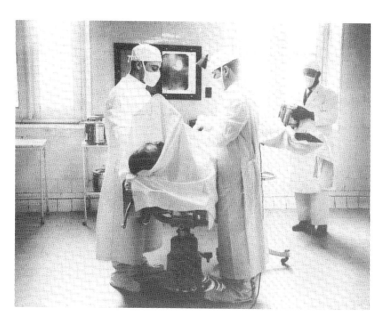

Nuevo hospital (1944).

New hospital (1944).

Farmacia (1930).

Drugstore (1930).

Duchas Pabellón 2.

Showers Pabillon 2.

Comedor en el martillo arquitectónico de uno de los pabellones que
también fue utilizado como cuadra.

*Dining-room at the architectonic
hammer of one of the pavilions used
also as quarters.*

Taller de ebanistería.

Cabinet maker's factory.

Biblioteca en el martillo arquitectónico del Pabellón 4.

Library at the architectonic hammer of Pavilion 4.

Carpintería.

Carpentry.

Aserradero en el presidio.

Sawmill in the prison.

Aserradero de Lapataia a fines del siglo XVIII (1896).

Sawmill in Lapataia to the end of the 19th century (1896).

Herrería.

Forge.

Distintos aspectos del trabajo
en las quintas.

*Various aspects of works
in the orchards.*

Un recluso pintando un escudo patrio.

A convict painting the national shield.

Taller de ebanistería.

Cabinet maker's factory.

Fábrica de escobas.

Brooms manufacture.

Herrería.

Blacksmith's factory.

Sastrería.

Tailor's.

Trabajos en la actual calle San Martín bajo la vigilancia de guardiacárceles.

Convicts, watched over by warders, working along present San Martín St.

Trabajos en la vía pública, red de agua y emparejamiento de calles.

Works in the public thoroughfare- water network and leveling of streets.

Traslado de piedras para la prolongación del muelle comercial.

Transfer of stones to be used in the extension of the commercial pier.

Casa del Director del Presidio.

The Director of the Prison's house.

Plaza entre el Pabellón 1 y el resto del edificio ocupado por la administración y autoridades del Presidio. En este momento (1996) es el edificio ocupado por la Base Naval con sus distintos despachos y oficinas.

Square between Pavilion 1 and the rest of the building occupied by the administration and the Prison's authorities. At this time (1996), this building is occupied by the Naval Base with its different offices and bureaus.

Fuente de la plaza.

Fountain in the square.

Puerta principal de la cerca perimetral.

Main door of the perimetric fence.

Vista aérea ya con el Hospital Nuevo terminado, (1945).

The new hospital is seen in this aerial view (1945).

El Presidio desde la cantera.

The Prison seen from the quarry.

Lavadero.

Laundry.

Transporte de capones hacia el
Presidio.

*Gelded lamb transported to the
Prison.*

Descarga de capones con destino al
Presidio desde un cúter de bandera
chilena. Muchos capones provenían
de la isla Navarino.

*Unloading of geldings for the Prison
from the cutter with Chilean flag.
Many geldings came from Navarino
island.*

Vista de la ciudad desde la actual
calle Gobernador. Paz y 9 de Julio.

*A view of the town from present
Gobernador St. Paz and 9 de Julio St.*

La banda de músicos del penal era conducida los fines de semana a la ciudad con intenciones de alegrarla. En las fotos podemos ver que también tocaban en las fiestas patrias como en los distintos actos públicos. Así la vemos en la plaza contigua al muelle comercial, frente a la gobernación y frente a la cancha de fútbol del Presidio. La flecha indica que el penado con el bombo es el famoso "Petiso Orejudo".

On weekends, the prison's band usually entertained the town. In these photographs we can see that it also played on national holidays as well as in different public acts. We can see the band next to the commercial pier, opposite the government house and facing the Prison's socker ground. The arrow shows the "Petiso Orejudo" (Big-eared Short Man).

Vista de la actual calle Maipú.

A view of present Maipú St.

Chacra en lo que actualmente es la "pasarela". Toda la zona conocida como misión baja eran chacras de antiguos pobladores de la ciudad. Se debía dar un gran rodeo a caballo o cruzar con bote.

Small farm situated in the present "footbridge". The whole area known as misión baja *was occupied by old settlers' orchards. To get there, it was neccesary to surround the place on horseback or to cross on a boat..*

Penados reparando las vías del tren "Decauville" en la actual calle Maipú.

Convicts fixing up the rails of the "Decauville" train in present Maipú St.

El tren se utilizaba para el transporte de piedras, leña, troncos, comestibles y los penados eran llevados sentados espalda contra espalda. En una vagoneta viajaba un grupo grande de guardianes además de los que iban en cada vagón.

The train was used to transport stones, firewood, logs, food; and convicts traveled sitting back against back. A large group of warders traveled in an open cart, apart from the ones on each cart.

Distintas tomas del famoso trencito de los presos.

Different takings of the famous prisoner's small train.

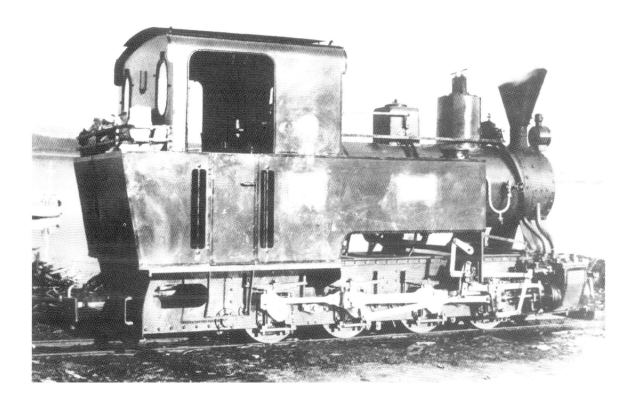

Distintos aspectos del trabajo en el
campamento del Monte Susana. La
tala de grandes arboles, castigos y
confección de astillas.

*Several aspects of works in Monte
Susana camp —the cutting down of
large trees, punishment and
manufacturing of slivers.*

Sin el tren los presos marchaban al compás de un redoblante.

Without the train, prisoners marched in the step with a drummer.

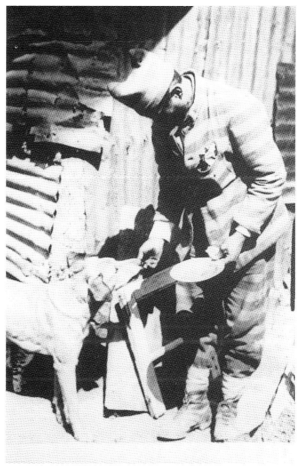

Vida en el campamento del Monte Susana. Los presos que se premiaban podían quedarse a dormir en el campamento.

Life in the camp at Monte Susana. As a reward, some prisoners were allowed to stay overnight in the camp.

Fila para el rancho del mediodía. Con el tazón en la mano esperan el reponedor guiso.

Lining up for the middday mess. Prisoners waited for the recovering stew with a bowl in their hands.

Preparando el terraplén del tren durante el invierno.

Convicts building the embankment for the train in winter.

Regreso de los penados a pie.

Prisoners on their way back on foot.

Campamento del Monte Susana.

Camp of Monte Susana.

Tumba del *"Petiso Orejudo"*.

Petiso Orejudo's grave.

Piedra que utilizó para clavar un clavo en la sien de una de sus víctimas.

Stone he used to knock a nail in one of his victims' temple.

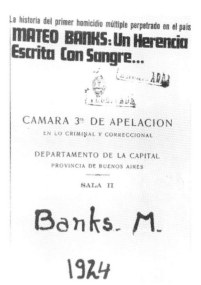

La historia del primer homicidio múltiple perpetrado en el país

MATEO BANKS: Un Herencia Escrita Con Sangre...

CAMARA 3ª DE APELACION
EN LO CRIMINAL Y CORRECCIONAL

DEPARTAMENTO DE LA CAPITAL
PROVINCIA DE BUENOS AIRES

SALA II

Banks. M.

1924

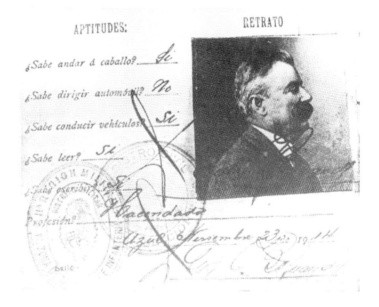

Mateo Banks fue el primer asesino múltiple de la historia criminal de la Argentina. En la foto de abajo vemos los siete ataúdes de sus víctimas.

Mateo Banks was the first multiple murderer of Argentina's criminal history. In the photograph below, we can see the seven coffins of his victims.

Cuando llegaban los presos se les distribuía sus nuevos uniformes en la "Rotonda".

When convicts arrived, new uniforms were handed out in the "Roundabout".

Los presos eran trasladados en las bodegas de los buques con grillos remachados. El viaje solía durar 30 días.

Prisoners with riveted shackles traveled in the holds of ships. The voyage usually took 30 days.

Vista del Monte Olivia desde una celda.

A view of Monte Olivia from a cell.

en un hombre sin pasado. Como si hubiera nacido ayer.
e las uñas par... ...No tiene ya en los ojos
...días fatales en que todos le conocimos. Parece invero-
...su tranquila compostura, un poco provinciana
...de él en el presidio.

EL DIRECTOR GENERAL de Institutos Penales, Roberto Pettinato, con-
versa en la enfermería del presidio con Damián Gelván, el reincidente
homicida. Es un hombre de buenos modales, pacífico, cuya cara no se
conoce bien.

Los Diablos de la Tierra del Fuego

por Jorge Raúl Ayra, especial para MUNDO POLICIAL, 19...
Oficial Inspector (R)

Notas aparecidas en los diarios de Buenos Aires cuando se dio a conocer el decreto que indicaba el cierre del presidio. Marzo y Abril de 1947.

Articles published in Buenos Aires newspapers when the decree of the prison's closing was made known. March and April, 1947.

Yo Estuve en Ushuaia...

Recibos de los pagos que se les hacían a los penados por el trabajo que realizaban.

Receipts for the prisoners' work.

La cárcel de Ushuaia
The Prison of Ushuaia

Lic. Carlos Pedro Vairo

La cárcel de Ushuaia
The Prison of Ushuaia

La idea de una colonia penal en Tierra del Fuego comenzó en 1882, un año después de la firma del Tratado de Límites con Chile. Durante ese año se lleva a cabo la Expedición Austral Argentina, comandada por Luis Piedrabuena, y cuyo jefe científico era el teniente de la marina italiana Santiago Bove. A él se le atribuye el haber señalado a Tierra del Fuego como un lugar apropiado para un establecimiento penal. Ya había en el mundo dos ejemplos exitosos: el de Francia, que tenía colonias penales en Nueva Caledonia y Argelia, y el de Inglaterra que tenía una en Australia.

En 1883, el presidente Roca presenta al Senado un proyecto de "Colonia Penal al sur de la República". Sus objetivos eran resolver el problema penitenciario, crear un primer elemento de población en esas lejanas regiones y asegurar la soberanía, cuyo signo más evidente es la población efectiva.

Es así como en 1884 parte la flota Expedicionaria al Atlántico Sur comandada por el Alférez Augusto Lasserre al mando de la Corbeta Paraná. La flota estaba compuesta por el transporte Villarino, el buque de estación Comodoro Py, la barca Cabo de Hornos y los cúteres Patagones, Bahía Blanca y Santa Cruz. Estos últimos tres veleros (sin motor) llevaban dos oficiales, un piloto y una tripulación de 9 a 15 hombres. Prácticamente se puede decir que eran "yates" grandes que requerían pesadas maniobras. Se los destinaba a misiones menores, trabajos de relevo, apoyo a otras unidades, como aviso, entre otras funciones.

Aunque la ley promovida por Roca no llegó a sancionarse, los primeros civiles condenados a presidio llegaron a Tierra del Fuego. Eran diez hombres que fueron elegidos según sus aptitudes para la instalación del Faro y Sub-prefectura de San Juan de Salvamento en la isla de los Estados con la idea de que cumplieran allí sus respectivas condenas.

El 12 de octubre de ese mismo año se funda la ciudad de Ushuaia (por ley Nº 1532) y se crea la Gobernación de Tierra del Fuego siendo su primer gobernador Dn. Félix M. Paz, quien llega en noviembre. Con él trae un empleado que estaba condenado por asesinato: Serafín o Serapio Aguirre o Rodríguez. A partir de entonces fue conocido como el "gaucho Aguirre" y prestó servicios en distintos establecimientos.

The idea of a penal colony in Tierra del Fuego arose in 1882, a year after the Boundaries Treaty with Chile was signed. That same year, the Argentine Austral Expedition —commanded by Luis Piedra Buena— took place. Its scientific chief was lieutenant Santiago Bove of the Italian Navy who is believed to have indicated Tierra del fuego as a suitable place for a penal establishment. There were already two successful examples in the world: France had penal colonies in New Caledonia and Algeria, and England had another in Australia.

In 1883, President Roca put forward a bill for a "Penal Colony to the South of the Republic" to the Senate. His objectives were to solve the penitentiary problem, to create a first settlement in those distant regions and to protect the sovereignty by means of an effective settlement which is the most evident sign of it.

Thus, the South Atlantic Expeditionary Fleet commanded by Second Lieutenant Augusto Lasserre aboard the Paraná Corvette set sail in 1884. The fleet consisted of the Villarino transport, the Comodoro Py station ship, the Cabo de Hornos small boat and the Patagones, Bahía Blanca and Santa Cruz cutters. The last three were sailing ships with no engine sailing with two officers, a pilot and a crew of about 9 to 15 men. It can be said that they were large heavy maneuvers "yachts". They were assigned to minor missions, relief works, and were also used as aid for other units or as dispatch boat, etc.

Even when the bill promoted by Roca never passed, the first civil convicts arrived in Tierra del Fuego. They were ten men chosen according their skills for the installation of the Lighthouse and Subprefecture of San Juan de Salvamento in Isla de los Estados. The convicts were to serve their sentences there.

The town of Ushuaia was founded on October 12 that same year (law Nº 1532) and the Government of Tierra del Fuego was also created. The first governor was Don Félix M. Paz who arrived in November. He came with an employee who was convicted of murder —Serafín or Serapio Aguirre or Rodríguez. From then on, he was known as "gaucho Aguirre" and worked for different establishments.

centavos hasta un peso por día, dependiendo de la conducta del penado.

El pequeño poblado de Ushuaia se vio favorecido por el trabajo que realizaban los penados en el trazado de calles y la construcción de edificios y puentes. Es así como la imagen de los penados se convirtió en algo usual para todos los habitantes de la ciudad llamando la atención a los escasos visitantes de aquel entonces.

El Edificio y sus construcciones

De la idea original de construir una "Colonia Penal" para 580 reclusos en Lapataia se pasó a la construcción de un edificio con cinco pabellones en forma radial, para facilitar la vigilancia. Cada pabellón posee 76 celdas exteriores siendo un total de 380 celdas unipersonales. Este tipo de construcción se lo conoció como "sistema Lucca".

En la punta de cada pabellón se le agregó un martillo arquitectónico que, según el momento y el pabellón de que se tratara, cumplió distintas funciones. Así es como además de baño, en el martillo del pabellón 1 fueron alojados presos correccionales, en el 4 funcionó la biblioteca y una enfermería, en el 2 había duchas. En un momento casi todos alojaron reclusos, es así como se entiende que se llegó a una superpoblación que superó los 600 penados.

Entre el pabellón 1 y 2 estaba la cocina y entre el 1 y el 3 se levantó la panadería. Los pabellones daban a un hall central llamado rotonda que era el lugar donde se concentraba a todos los presos. Por ella los penados podían salir para dirigirse a los talleres o para realizar las actividades fuera del presidio. También desde esta rotonda se ejercía la vigilancia cuando los reclusos se encontraban en sus celdas.

Una de las características de este presidio fue que nunca contó con muro circunvalatorio. Sólo una alambrada de 2 metros de altura, coronada con 4 hileras de alambre de púa, lo separaba del poblado. Es así que tanto los pobladores tenían visión hacia adentro del penal como los presos hacia afuera. Todo alrededor existían retenes, guardias y garitas ocupadas por el personal de seguridad que en un principio fueron militares para después pasar al sistema de guardiacárceles. Estos estaban armados con fusiles y calaban bayonetas. Siempre guardaban una distancia prudencial de los presos formando círculos a su alrededor. Nunca tomaban contacto con los reclusos. Muy distinto era el trabajo de los guardianes que, sin armas, pasaban su vida entre los presos.

Entre las construcciones con que contaba el presidio estaba el "muelle de los presos", por

tually, a structure of 5 pavilions arranged radially, to make vigilance easier, was built. Each pavilion was made up of 76 exterior cells adding up to 380 unipersonal cells. This kind of construction was known as "Lucca system".

In the extreme of each pavilion an architectonic hammer was added. It was used for different purposes according to the moment and the pavilion it belonged to. The one in pavilion 1 was used as a bathroom and correctional prisoners were lodged there; in number 4 there was a library and an infirmary; there were showers in number 2. And there was a time when there were convicts in all of them. The prison was then overpopulated —there were over 600 prisoners.

The kitchen was situated between pavilions 1 and 2 and the bakery was built between number 1 and 3. All pavilions lead into a central hall called roundabout which was the place where all convicts gathered. Prisoners walked through this roundabout to go to the workshops or to go out of the prison to work. When prisoners were inside their cells, they could be watched out from this central hall.

This prison was distinguished because it never had an encircling wall —just a two meters high wire fence with four lines of barbed wire separated the penal from the village. Consecutively, both settlers could see inside the prison and convicts outside it. Surrounding the place, there were reserves, guards and sentry boxes occupied by the security staff (at the beginning they were military men and then came warders). These men were armed with rifles, and fixed bayonets. They always kept a prudential distance forming circles around convicts and never got in touch with them. Guards' work was quite different —they were not armed and spent their lives among prisoners.

The "convicts' pier" was another of the constructions of the premises, where prisoners embarked and disembarked. In the shipyard, the vessels of the prison were repaired and others built —such as the famous "Godoy" patrol. Further to the east, there was the warden's house. And the main entrance, the director's house, those of officials such as the physician and the cook, and the administrative offices were near the main street of the village of Ushuaia —present San Martín St.. The guard post and the main reserve were situated opposite the reception hall.

The construction went on till 1920. Anyway, some buildings that still remain were built later on. This is the case of the present Naval Hospital inaugurated in 1945. The few travelers that arrived in Ushuaia by ship described

donde embarcaban y desembarcaban los penados; el astillero donde además de reparar las embarcaciones de la cárcel se construyeron otras como la famosa patrullera "Godoy". También, un poco más hacia el este, estaba la casa del alcaide y cerca de la calle principal de la ciudad de Ushuaia —hoy calle San Martín— estaba el ingreso principal, la casa del director, la vivienda de funcionarios como el ecónomo y el médico y las oficinas de la administración. Frente al hall de recepción estaba el retén mayor y la guardia.

La construcción continuó hasta 1920, aunque algunos edificios que todavía se pueden ver fueron muy posteriores como el actual Hospital Naval inaugurado en 1945. Los escasos viajeros que arribaban a Ushuaia en barcos describieron al penal como una enorme masa de piedra gris, con muchas edificaciones menores colocadas en forma desordenada. Estas eran los talleres que en algunos casos eran de mampostería y en otros de madera y zinc.

De los empleados o la gran parte de la población de Ushuaia

En los planes figuraba un barrio para empleados pero este no llegó a hacerse. Los guardianes, guardiacárceles y empleados en general vivían en la ciudad. A medida que el establecimiento fue creciendo cada vez empleaba a más gente del poblado. Por otra parte, la provisión de alimentos hizo que más de una familia tuviera importantes ingresos viéndose favorecidos desde los ganaderos a los propietarios de los pequeños veleros que traían las ovejas y demás provisiones que el poblado necesitaba. La población de Ushuaia estaba compuesta por algunos argentinos y muchos inmigrantes. Además de chilenos las dos principales colectividades fueron de españoles y dálmatas. Más tarde arribaron los italianos. Pero los verdaderos profesionales "carceleros" fueron los españoles de Galicia que, con varias generaciones en la profesión, ingresaron en Ushuaia no bien comenzó la actividad en la cárcel. Así se fueron asentando muchas familias que además de trabajar en la cárcel se dedicaron a otras tareas como la pesca, corte de leña, chacras, y un largo etcétera.

Muchos de estos recién arribados trabajaban durante un largo tiempo sólo por el uniforme y la comida. El nombramiento, dados los medios de comunicación de la época, podía demorar un año o más. Una vez logrado hacían venir al resto de la familia. Fueron muchos los casos en que parte de la familia iba llegando en base a las cartas que le escribían a sus parien-

the penal as a huge mass of gray stone with many minor constructions situated in a disorderly way. These were workshops —some made of rubblework and others of wood and zinc.

About the Employees or Most of Ushuaia's Population

A neighborhood for employees had been planned, but it was never built. Generally, guards and warders used to live in town. As the establishment grew more and more people from the settlement were employed. Besides, the provision of food made some families prosperous — from cattle breeders to the owners of small sailing boats (who used to bring sheep and other provisions that the settlement needed) were benefited. Ushuaia's population was made up of some Argentine people and many immigrants. Apart from the Chilean, the two major collectivities were those of the Spanish and the Dalmatian. Later on, the Italian arrived. But the real professional "jailers" were the Spaniards from Galicia who —descending from generations in the profession, arrived in Ushuaia as soon as the activity in the prison began. In so doing, a important number of families settled down. Apart from working in the prison, they engaged in other activities such as fishing, cutting firewood, cultivating in small farms and very many others.

A lot of these newly arrived people worked for a long time just for their uniform and meal. Their appointment —due to the slow means of transport at that time— could take a whole year or even more. Once they were appointed, their families came. In many cases, part of the family arrived as they wrote letters to their relatives, thus repeating the previous procedure.

Most merchants earned their living from the prison and its employees. This means that they sold food for the convicts and some modest luxuries such as pieces of cloth, liquors, tobacco and other trifles to employees and their families. When payday, people paid up their debts. Payday was frequently late, and there were cases of people who bought small debts with substantial profits being sure that the financial allotment would come.

The Director of the Prison himself complained about this situation. We can read a letter from engineer Catello Muratgia to the Minister of Justice about the abusive price of livestock provided by a local family, and the possibility of buying it from the Salesian at a lower price on condition of paying it in cash.

To have an idea of the civil and penal population we can resort to father Martin Gusinde's

pasado el examen se les remachaban en los tobillos grilletes unidos entre sí por una cadena o una barra de hierro que limitaba su caminar a pasos de no más de 15 a 20 centímetros. Esos tres golpes de martillo sobre los clavos de hierro deben haber sido tres duros golpes en el corazón de cada penado que esperaba en la formación y en aquellos que esperaban en su celdas un cambio de destino. Cuentan que los más duros e insensibles miraban con soberbia al herrero mientras hacía su trabajo, pero a los pocos metros su espíritu se quebraba a medida que sentían cómo el hierro comenzaba a lastimar la piel de sus tobillos, lo limitado de sus movimientos y el destino que les tocaba.

Por medio de camiones policiales se los llevaba al barco, transportes de la armada como el "Chaco", "Ushuaia", "Pampa", "Patagonia", "1o. de Mayo" y se los alojaba en la bodega con un zambullo de por medio para sus necesidades. Allí permanecían por un lapso de casi un mes, tiempo que duraba el viaje. El polvillo de carbón se filtraba por todas partes es así como llegaban cubiertos de él y tosiendo negro. Según cuentan algunas crónicas, muchas veces el comandante del buque se apiadaba de tan funesto destino permitiéndoles salir a tomar aire y hubo casos en que hasta hizo retirar los grilletes. Vale la pena recordar que dicho viaje era el que unía Buenos Aires con el sur del país. Es así que además de los presos viajaba mercadería para Bahía Blanca, Puerto Madryn, Comodoro Rivadavia, Santa Cruz, Río Gallegos y, por supuesto, todo lo necesario para la vida en Ushuaia. Desde víveres y medicinas, hasta los periódicos.

Es cierto que en un primer momento la selección fue un poco arbitraria. Ya desde 1884 cuando el Alférez Augusto Lasserre trae los primeros condenados éstos fueron elegidos por sus habilidades manuales para que sean de utilidad en la construcción del faro de la Isla de los Estados y en las subprefecturas. Con el transcurso del tiempo fueron enviados condenados varones y mujeres con la idea de la Colonia Penal. En el caso de los presidios militares se les permitió a uno pocos condenados traer a sus esposas.

Hacia fines del siglo XIX fueron enviados menores de edad que incluso no tenían ninguna condena grave sino que hoy los llamaríamos "niños de la calle". Este último caso fue corregido durante la primera década del 1900 y se presume que fue en esa época cuando Carlos Gardel o Charles Gardés pudo haber estado en Ushuaia.

El último gran cambio fue cuando en 1936 la Dirección General de Institutos Penales de la

the shackles be removed. It is worth remembering that these voyages that joined Buenos Aires with the south part of the country not only took prisoners but also goods to Bahía Blanca, Puerto Madryn, Comodoro Rivadavia, Santa Cruz, Río Gallegos; and —of course— everything necessary for life in Ushuaia ranging from provisions and medicines to newspapers.

It is true that, at first, the selection of convicts was somewhat arbitrary. From 1884 —when lieutenant Augusto Lasserre took the first convicts— on, they were chosen for their manual skill to be useful for the building of the lighthouse of Isla de los Estados and of the subprefectures. As time went by, men and women prisoners were sent with the aim of settling down the Penal Colony. In the case of military prisoners, just a few were allowed to go with their wives.

Towards the end of the 19th century minors were sent, even those who were just street children —as we call them nowadays. This changed during the first decade of 1900. It is believed that Carlos Gardel or Charles Gardés could have been to Uhsuaia at that time.

The last important change took place in 1936 when the Head Office of Penal Institutes took over the effective superintendency of the Prison of Ushuaia. From then on, the treatment the prisoners received and their everyday life changed completely. The Classification Institute was set up and convicts were sent to the south according to their dangerousness and their difficulty for adapting to the penitentiary regimen.

An article from the Penal and Penitentiary Magazine headlined "Sending of Convicts to Ushuaia" of 1939 reads: "Convicts age and health —both bodily and mental — were equa-

EDAD

9 a 21 años	7
22 a 25 años	50
26 a 30 años	97
31 a 35 años	137
36 a 40 años	108
41 a 45 años	64
46 a 50 años	40
51 a 55 años	24
56 a 60 años	9
Más de 60 años	2

Datos correspondientes a los 538 penados al 1º de enero de 1935.

Nación tomó a su cargo la superintendencia efectiva de la Cárcel de Ushuaia. A partir de entonces el trato con los penados y su vida diaria cambió totalmente. Se formó un Instituto de Clasificación que basó el envío de penados al sur sobre la peligrosidad y la inadaptabilidad al régimen penitenciario.

En una nota de la Revista Penal y Penitenciaria titulada "Envío de Penados a Ushuaia", de 1939, podemos leer:

"Se tuvo igualmente en cuenta la edad y la salud, tanto corporal como mental, de los reclusos a fin de no movilizar a aquellos que no obstante estar en condiciones legales, no podían ser trasladados por las circunstancias apuntadas. Para determinar los componentes de este grupo, se designó una junta de médicos que, reunida en la sección del Instituto de la Penitenciaría, estudió detenidamente a cada uno de los incluidos en las listas.

Los comprendidos en el art. 51 del Código Penal a quienes, por faltarles escaso tiempo para el cumplimiento de su pena, resultaba inocuo trasladarlos, fueron también excluidos.

La mayoría de componentes de la remesa están comprendidos en las disposiciones del artículo 52 del Código Penal".

Cómo viajaban

Martín Chaves escribió en el diario "Crítica" sobre cómo eran los traslados a "la tierra maldita". Designado celador del penal realizó un viaje junto a un grupo de penados.

"...luego, en un carro celular rumbo al puerto. Allí la vigilancia es más estrecha y dos guardianes se responsabilizan del penado entregado a su custodia. Todos recuerdan el caso de José Domínguez, que había jurado mil veces no ir a Ushuaia. Tenía una condena de 25 años por homicidio y el 12 de febrero de 1926, fue sacado de su celda 554 y cuando subía la planchada del transporte "Buenos Aires", se tiró al río. El peso de los grillos lo llevó al fondo del lecho, lográndose extraer su cuerpo recién al día siguiente, mediante rastreos. Domínguez cumplió su propósito jurado: no fue a la tierra maldita. También es narración que se transmite de guardián a guardián la evasión de 114 penados en el año 1925 amotinándose en la bodega del "Buenos Aires".

Nunca se pudo establecer con exactitud cuál fue el penado que logró romper los grillos y luego liberar de ellos a sus demás compañeros. Se le atribuía tal hazaña a Brasch, el alemán que continúa purgando su delito de asalto y crimen en el territorio del sur. Lo cierto es que los 114 penados se amotinaron en la bodega y

lly taken into consideration to avoid moving those that, although fulfilling legal conditions, could not be transferred because of the situation above mentioned. To decide which prisoners would make up this group a board of physicians was appointed. This board, assembled at the Penitentiary Institute, analyzed thoroughly each case on the lists.

Those included in art. 51 of the Penal Code, having a short time of their sentences to serve, were also excluded as there was no point in moving them. Most of the components of the shipment are included within the resolutions of article 52 of the Penal Code."

How do They Traveled

Martín Chaves wrote in the newspaper "Crítica" about transfers to "the evil land". Being appointed guard of the penal he went on a trip with a group of convicts."... Then on a paddy wagon towards the port. Once there, vigilance is closer and two guard are responsible for the convict under their custody. Everybody remembers José Domínguez's case, who had sworn a thousand times no to go to Ushuaia. He had to serve a 25 years' sentence accused of murder, and on February 12 1926 he left his cell and while climbing the gangplank of the "Buenos Aires" transport he plunged into the river. He was drawn to the river basin because of the weight of the shackles and it was not until the next day that his corpse could be found by means of a drag. Domínguez kept his oath: he did not go to the evil land. Another story passed from guard to guard is the escape of 114 convicts that mutinied in the "Buenos Aires" hold in the year of 1925.

"It was never known exactly who was the convict that succeeded in breaking his shackles and set free the rest of his companions from them. This deed was ascribed to Brasch, the German who is still serving a sentence for an assault and murder in the southern territory. The truth remains that the 114 convicts rioted and punched their way to freedom. At that time it was easier for them to escape as they did not wear the stripped uniform and they could easily walk along the streets without being noticed. Most of them were caught again...

From then on, every sort of care is taken — plenty of guards an even powerful searchlights that light up the ghosts' silhouettes that go down to the hold of the transport which sets sail for Tierra del Fuego before dawn."

The voyage took twenty-nine days: "one day I got down between decks to see my convict mates. Y will never forget the shock. That was hell.

a golpes de puño se abrieron paso y fugaron. Entonces les era más fácil, no vestían el uniforme a rayas, podían confundirse fácilmente en las calles. Casi todos volvieron a ser detenidos...

Desde esa época se toman toda clase de precaución, guardianes en abundancia y hasta potentes reflectores que iluminan las siluetas de los fantasmas que bajan a la bodega del transporte que antes del alba, pone proa a Tierra del Fuego.

El viaje duró 29 días, "un día bajé al entrepuente para ver a mis compañeros penados. Jamás olvidaré la impresión que recibí. Aquello era un infierno. Humedad, calor. En Bahía Blanca se había detenido la embarcación para cargar carbón que iba depositado en la bodega ubicada debajo del entrepuente donde viajaban los presos. El polvillo del carbón se filtraba imperceptible, sobre los hombres engrillados. Se les pegaba en la cara, lo respiraban, lo escupían; ponía máscaras en los rostros, acentuando las ojeras.

Fantasmas, espectros, no sé lo que vi. Salí de esa cámara de tortura con el alma dolorida, preguntándome si los directores del penal, si los jueces, si los ministros no tendrían noticias de ese bárbaro suplicio.

En el puerto nos esperaban el director del penal, algunos empleados y muchos guardianes, los que tomaron posiciones estratégicas para el desembarco de los penados...".

Pertenencias

Para ellos la vista a la cárcel de Ushuaia era un verdadero alivio. Allí recibían un baño y ropa nueva. Las pertenencias fueron variando con la época, pero según el reglamento la administración debía entregarle a cada penado "...una tarima (a modo de cama), una colchoneta con diez kilogramos de lana lavada y peinada, tres frazadas de lana, una almohada de lana, una mesita, un banquito, un pequeño armario, dos platos, un tenedor, una cuchara, un jarro para beber, dos fundas de almohada, cuatro sabanas, dos toallas, dos pares de medias, dos camisas, dos camisetas, dos calzoncillos, un par de botines o botas, un traje de trabajo, un traje para días feriados, dos polís, dos cepillos, útiles de escuela, un metro para medir. Y para aquellos presos que trabajan á la lluvia: una blusa, un par de pantalones y una gorra impermeables."

Estaba estipulada una entrega de dos a tres trajes por año y si trabajaban en las canteras o en el bosque las botas eran sustituidas más veces al año. En realidad, esto sucedía si los

Dampness, heat. The ship had stopped at Bahía Blanca to load coal that was shipped in the hold situated below between decks where prisoners were. Fine dust from coal filtered imperceptible on the shackled men. It got stuck on their faces, they breathed it, they spat it out; it drew masks on their faces making their ears prominent.

"Ghosts, specters, I don't know what I saw. Y got off that chamber of torture with an aching soul wondering if the directors of the prison, if judges, if ministers did not have any news about that barbaric torment.

The director of the prison, some employees and many warders were waiting for us in port. The last ones took strategic positions for the convicts' disembark..."

Belongings

Visiting the prison of Ushuaia was a relief for convicts. There, they took a bath and were given new clothes. Their belongings varied from time to time, but according to regulations the administration should give each convict:

"...one wooden platform (a sort of bed), one light mattress together with ten kilograms of washed and combed wool, three woolen blankets, one woolen pillow, one small table, one small stool, one small closet, two plates, one fork, one spoon, one pitcher for drinks, two pillowcases, four sheets, two towels, two pairs of socks, two shirts, two undershirts, two underpants, one pair of booties or boots, one overall, one suit for holidays, two caps, two brushes, school implements, one ruler (?). And for those convicts that work when raining —one blouse, one pair of trousers and one cap all waterproof."

It was stipulated that two or three suits should be given to each convict per year, and in case the prisoner worked in the quarry or in the wood his boots were replaced on more occasions during the year. In fact, this happened if tailor's and shoemaker's workshops had enough time to satisfy all these necessities as everything was manufactured in this place.

If a prisoner spoiled the clothes he was given annually unjustifiedly, he had to pay the new ones with his savings.

Convicts were not allowed to have other belongings. Except for those who behaved well and therefore could keep books, study things, tobacco, sugar and mate in their cells, and during breaks or spare time they were allowed to make small crafts that they could then sell.

Cells and Pavilions

After the bath, new suits were handed out in

THE PRISON OF USHUAIA

talleres de sastrería y zapatería tenían tiempo suficiente para satisfacer todas las necesidades dado que todo se fabricaba localmente.

En caso de que el penado estropeara más ropa de la que estaba estipulada anualmente, tenía que tener un buen justificativo porque si no debía pagarla de sus ahorros.

Al penado no le era posible tener otras pertenencias. Salvo aquellos que por su buena conducta podían tener en sus celdas libros, elementos de estudio, tabaco, azúcar yerba mate y en los recreos o tiempo libre se les permitía realizar pequeños trabajos que luego vendían.

Pabellones y celdas

Después del baño y repartidos los nuevos trajes en la "Rotonda" se les cortaba el pelo y se los afeitaba. Es interesante ver en el reglamento que los condenados a penas correccionales se les permitía usar bigote; no así a los condenados a presidio. (Vale la pena notar esta particularidad en las fotos que se publican.) Después de este trámite eran acompañados a sus celdas con todas sus pertenencias. La elección de las celdas dependía del pabellón que les tocaba. Este a su vez se otorgaba en función de los delitos cometidos. Así es como en uno alojaban a los condenados por robos y hurtos, en otro a los de defraudación y estafa, en el 4 a los homicidas, y en el número 3 estaban los de enfermedades infecciosas.

Un trámite que estaba ligado al ingreso era la asignación de un número que debía lucir en la chaqueta, gorro y pantalón si era un condenado a presidio y un distintivo rojo en el gorro si era un homicida.

Las celdas tenían puertas de madera, y en la parte superior, a un metro del suelo, tenían un pequeño orificio resguardado por un grueso vidrio que permitía al guardián vigilar la celda. La ventilación la recibía el preso por una abertura enrejada de 20 x 20 cm. abierta a escasa distancia del techo de cada celda. El tamaño de las celdas era similar arriba y abajo, pero las primeras nueve (dieciocho por planta), empezando por el martillo, son más grandes teniendo un tamaño de 2, 95 metros por 1, 93 de ancho. Las restantes son de 1, 93 x 1, 93 metros. La altura interna de las del piso inferior era de 2, 76 metros y la de las ubicadas en el piso superior era de 2, 54 metros.

Castigos

No existieron celdas de castigo, al menos oficialmente, en ningún momento. El castigo lo

the "Roundabout" and convicts had their hair cut and had a shave. It is interesting to take into account that, according to the regulations, those convicts sentenced to correctional punishments were allowed to wear a mustache; this was not the case for prisoners serving a prison sentence. (This particular aspect is worthy of note in the photographs here published.) After this procedure, convicts (with all their belongings) were seen to their cells. The selection of each cell was in accordance with the pavilion every prisoner was assigned. And the pavilion was chosen according to the sort of offense. Therefore, those imprisoned for robbery and larceny were lodged in one, and those convicted for swindle and deceit in another, in number 4 were murderers, and in number 3 those suffering from infectious diseases.

As part of the entrance procedure, prisoners were given a number to be worn on their jackets, caps and trousers if they were sentenced to prison and a red badge on their caps if they were murderers.

Cells had a wooden door and, on top, a meter from the floor there was a small opening with a thick glass that made it possible for the guard to be able to watch. There was another opening of 20 by 20 centimeters with bars for ventilation, which was situated near the roof of the cell. The size of cells was similar downstairs and upstairs, but the first 9 (there were 18 per floor), starting from the hammer, were larger (2.95 m by 1.93 wide). The rest were 1.93 by 1.93. Those in the ground floor were 2.76 high and those upstairs 2.54 high.

Punishment

There were no punishment cells —at least not officially— in no period. Convicts were punished in their own cells by living on bread and water for even a month. They were in isolation and were allowed to go out for two hours a day. Less hard punishments included being locked up during break hours and eating less of their ration. Deterrents varied according to each period and director. There was a time when prisoners were thrashed or kept in their cells in the dark with their clothes soaked through. For this purpose the window was covered as well as the ventilation opening using, in this case, an iron cover. But this situation lasted for a short time that will be referred to in due course.

Minor punishments included "admonitions" and "sentry on long punishment guard", which meant to be standing for long hours —on many occasions in the open. There were a number of

recibían en la misma celda a pan y agua y podía tener una duración de hasta un mes. Se lo mantenía aislado de los demás permitiéndole salir 2 horas por día. En castigos no tan rigurosos se lo encerraba durante las horas de recreo con racionamiento de comida. Los castigos cambiaron con el tiempo y según la dirección. Hubo una época en la que no sólo recibieron fuertes palizas sino que les mantenían las celdas y ropas mojadas en total oscuridad; para ello se tapaba el orificio cubierto de cristal y la ventilación con una tapa de acero. Pero esto sucedió durante un corto tiempo al que se hará referencia oportunamente.

Si bien entre los castigos menores existía la "amonestación" y el "plantón" (dejarlos parados por horas muchas veces a la intemperie), existían muchos premios para aquellos que observaban buena conducta. Por ejemplo, se les autorizaba a trabajar fuera del presidio en comisiones que podían ser en la ciudad o en el bosque; incluso se los autorizaba a quedarse en el refugio del Monte Susana a pernoctar con la excusa de aprovechar mejor las horas solares. También se les daba autorización para escribir a sus familiares y recibir correspondencia, aunque ésta era censurada por la dirección. Con las visitas ocurría otro tanto, aunque en realidad eran muy pocas aquéllas que llegaban hasta Ushuaia. Pero hubo casos, en especial, cuando estuvieron los presos políticos.

Existieron otras penas como la de ir a los talleres con uno o dos grillos puestos, la pérdida de todo lo ahorrado en caso de tentativa de evasión, multas fijadas por la dirección según las faltas cometidas, e incluso el retiro de las recompensas otorgadas por observar buena conducta. Los castigos dependieron de cada director y del reglamento vigente en cada oportunidad.

Comida

El ecónomo era el que estaba encargado del manejo de las provisiones y de suministrar lo necesario para las raciones diarias. Existieron tres tipos de raciones y ellas fueron: para los enfermos, prescrita por el médico; para los que estaban en actividad realizando trabajos físicos y una ración de conservación para aquellos que por defectos físicos o enfermedad no realizaban trabajos "productivos". Por reglamento se les servía comida dos veces por día y un desayuno que dependía del trabajo a realizar.

Por otra parte, los empleados del establecimiento recibían la misma comida que los penados aunque, según algunos comentarios (Sr. Bernales), ésta solía ser más abundante.

rewards for those who behaved themselves. For example, they were commissioned to work outside the prison either in town or the wood. They were even allowed to stay for the night in Monte Susana shelter so that they would take advantage of daylight hours. These convicts were also authorized to write to their relatives and could receive letters —even when they were censored by the direction. Visits were also allowed, but they were scarce. Anyway, there were some cases. Especially when there were political prisoners.

There were other sorts of punishments for convicts such as going to the workshops with shackles on, or having to give back all the money saved in case of an attempt of escape, fines fixed by the direction according to the fault, and even the refund of the awards earned for good behavior. Punishments depended on each director and the present regulations at every moment.

Meals

The cook was in charge of provisions and of providing everything necessary for daily rations. There were three types of rations —one prescribed by the physician for the ill; another for those convicts that worked; and a third conservation ration for the crippled or the ill who did not work in "productive" tasks. Regulations indicated that prisoners should be given two meals and breakfast —which depended on the kind of work.

On the other hand, the employees were given the same meals as the convicts. Anyway, according to some commentaries (Mr. Bernales), employees' meals used to be more abundant.

It is important to point out that there was a large orchard as well as hens an other poultry birds. As time went by, there were greenhouses and in the establishment of the prison itself some preserves were prepared. The prison provided all employees with bread and a share of meat according to each family. Besides, every family had their own orchard. The prison depended on the transport for dry victuals and packed food. Ovine meat was bought in the region.

Cemetery

A lot has been said about the prison having its own cemetery. In fact, there was a section in the cemetery of the town —to the west, in the outskirts of Ushuaia— that belonged to the prison. It was the old cemetery of Ushuaia that nowadays is situated right downtown.

Es importante destacar que existía una gran quinta, gallinas y demás animales de corral. Con el tiempo tuvieron invernáculos y en el mismo establecimiento hasta se preparaban algunas conservas. Todos los empleados tenían sus quintas y recibían del penal el pan, las facturas y una cuota de carne según el tipo de familia. Del transporte se dependía para víveres secos y envasados; localmente se compraba la carne de ovinos.

Cementerio

Mucho se ha hablado de que el presidio tenía su propio cementerio. En realidad tenía una sección en el perteneciente a la ciudad que quedaba en las afueras de Ushuaia, hacia el oeste. Se trata del viejo cementerio de Ushuaia que ahora está casi en pleno centro.

También se ha hablado sobre la cantidad de presos que fueron a parar a él. Esto también dependió de la densidad de penados y los años que llevaban presos. Así tenemos que en los primeros ocho años de funcionamiento hubo sólo tres defunciones, según cuenta el Inspector Viajero R. Nieto Moreno, en un informe del 2 de agosto de 1904: "...en su mayoría, de enfermedades perniciosas adquiridas antes de entrar al Establecimiento". Los datos para 1934 dan seis fallecidos para una población de 538 penados. Los empleados del establecimiento sumaban 330 para el mismo año.

Pero es innegable que existió una época de terror, en la década del 30, cuando por lo menos todas las semanas desfilaban entre uno y dos ataúdes por el pueblo (según el testimonio oral de Alfonso Lavado y la Sra. Jeréz de Lavado). Este paseo por el pueblo era inevitable, además de macabro, y era la forma en que todo el pueblo se enteraba. Sucede que después de producida la defunción se le confeccionaba un ataúd y era transportado directamente al cementerio, claro se debía cruzar la ciudad.

Pero de dicha sección reservada a los penados no queda nada. Sólo algunas fotos de tumbas presos famosos muertos en condiciones rodeadas de sospechas y mucha imaginación. Después del cierre del presidio, y dada la falta de espacio, una gran tumba común aloja los restos de todos estos muertos sin nombre que nunca recibieron una flor, una lágrima o una visita de un ser querido. A semejanza de lo sucedido en los cementerios de San Juan del Salvamento o de Puerto Cook, en isla de los Estados.

En dichos cementerios todavía hoy quedan cruces y algunas lápidas cuyos nombres y demás datos, con el paso del tiempo y la acción de

The number of convicts sent was also a topic for discussion. This depended on the prison's density of the population and on the years they had been imprisoned. According to a report of August 2 1904 by the Traveling Inspector Nieto Moreno, during the first eight years of the prison there were only three deceased and, "...most of them suffered from pernicious diseases acquired before entering the Establishment." In 1934 there were 538 convicts and six deaths. That same year, there were 330 employees.

But we cannot deny that there was a time of terror during the 30s when at least one or two coffins filed through the town every week (according to Alfonso Lavado's and Mrs. Lavado's oral testimonies). This macabre drive could not be avoided, so all inhabitants got to know about the deaths. After the convict's demise, a coffin was made for the dead that was transported to the cemetery straight-away. In so doing, the coffin passed through the town.

But nowadays there are no remains of the convicts' section. Just some photographs of the graves that belonged to some famous prisoners dead in suspicious circumstances. After the closing of the prison, and because of the lack of space, the mortal remains of unknown convicts who never received a flower, some tears, or the visit of their beloved were kept in a large common grave. A similar situation took place in San Juan de Salvamento's and Puerto Cook's cemeteries in Isla de los Estados.

Names and other data on the crosses and gravestones which are still found in those cemeteries are illegible because of the passing of time and the action of rain. Nowadays, these graves are the only vestige of the presence of human beings in the area.

The Military Prison's cemetery in Golondrina Bay was usually mistaken by that of the prison. As we have already mentioned, the former was merged with the Second Offenders Prison in 1911. Its installations were dismantled except for a shed that has been used till present. Beside this shed, there were some crosses marking the location of the cemetery that remained there until some time ago. Many journalists and chroniclers of that time thought that this was an exclusive cemetery for the convicts of the prison.

Works

"... The Code imposes the obligation of working for convicts. In general, they wish to work and ask for it. The prefer hard labor rather than staying confined in their cells bored and shivering from cold, if not tortured by their thoug-

la lluvia, se hicieron ilegibles. En la actualidad son los únicos vestigios del paso del hombre, con sus presidios, por el lugar.

El cementerio del Presidio Militar de bahía Golondrina creó un poco de confusión con respecto al correspondiente a la cárcel. Como vimos, este presidio fue unificado en 1911 con la Cárcel de Reincidentes. Sus instalaciones fueron levantadas, salvo un galpón que todavía hoy se utiliza. Junto a él estaban, hasta hace poco, las cruces que indicaban la ubicación del cementerio. Muchos periodistas y cronistas de la época pensaron que se trataba de un cementerio exclusivo para presos de la cárcel.

Trabajos

"...El código impone la obligatoriedad del trabajo para los penados. En general, ellos desean y piden trabajar. Aún las tareas mas pesadas, las prefieren a quedarse emparedados dentro de las celdas, tiritando de frío y de aburrimiento, cuando no torturados por las ideas." (del periodista Manuel Rodríguez). Interrogado un leñador por el mismo periodista dice: "...Me duelen las espaldas; puede ser la pleuresía que tuve. No importa; trabajando se mata el tiempo; es la única forma de vencer al presidio. Continuaré en el monte; tan siquiera respiro aire, veo un poco de sol...".

Además del trabajo en los talleres y en la construcción del edificio como ya vimos, los penados desarrollaron trabajos fuera del penal. Así es como muchos penados, tanto condenados a reclusión como a prisión, tuvieron la oportunidad de salir del penal y ser ocupados en trabajos públicos. Durante la primavera y hasta el otoño se los enviaba a arreglar y ampliar el muelle, construcción del camino que llevaba hacia el norte de la isla, trabajos de instalación de servicios de cloaca y agua corriente, mantenimiento de calles, instalaciones de alumbrado público, y cuanta obra fuera menester realizar. Para ello se le asignaba una remuneración mayor que la obtenida en trabajos dentro del presidio. También se los estimulaba con reducción en la condena.

Pero tanto estos trabajos públicos como el trabajo en el monte eran logrados por aquellos que observaran buena conducta. Cuando por la mañana se asignaban los trabajos en la Rotonda del Presidio, se destinaba los guardiacárceles que, con fusil en mano y calando bayoneta, los seguirían durante todo el día manteniendo un círculo que los rodeaba siempre observando una distancia de unos diez o quince metros.

El trabajo en el monte comenzaba bien temprano por la mañana e incluso había presos que

PROFESIONES

Agricultores	1
Albañiles	1
Caballerizos	1
Canasteros	1
Carniceros	2
Cartoneros	1
Carreros	2
Carpinteros	3
Cocheros	4
Cocineros	8
Comerciantes	1
Dependientes	3
Enfermeros	1
Encuadernadores	1
Empleados	4
Estibadores	1
Herreros	2
Impresores	2
Jornaleros	16
Marineros	4
Mecánicos	1
Militares	1
Mozos de hotel	1
Mozos de café	1
Mucamos	1
Panaderos	1
Pintores	3
Sastres	3
Tipógrafos	1
Yeseros	1
Zapateros	2

Datos correspondientes a los 77 presos correccionales incorporados en 1900.

hts," (by journalist Manuel Rodríguez). A woodcutter inquired by the same journalist says: "...my back aches. It may be because of the pleurisy I suffered from. Never minds — we kill time working. It is the only way of defeating the prison. I'll go on in the wood. At least, here I can breathe some air and see the sun..."

Apart from working in the workshops and in the construction of the building —as we have mentioned—, prisoners worked outside the prison. Thus, many convicts sentenced to confinement or prison had the chance to work outside the prison in public works. During spring and till the coming of the autumn, convicts were sent to fix up and enlarge the pier, to build the road that led to the north of the island, to install public services such as sewerage or running water, to keep the streets in good condition, to

se quedaban a dormir en el campamento de Monte Susana para economizar todo el tiempo que se perdía entre la ida y la vuelta. Estos eran los privilegiados, gozaban del beneficio de cocinarse ellos mismos y vivir cierta libertad al aire libre. Especialmente durante el verano con sus largas jornadas de luz. Los demás penados eran llevados en el "trencito". En las vagonetas se situaban los leñadores que eran estrictamente vigilados por guardiacárceles armados. Allí permanecían todo el día cortando árboles; el presidio consumía treinta metros cúbicos de leña por día. Cuando la tarea finalizaba hacían a mano la carga en los vagones y regresaban a pie o, si quedaba lugar, en las vagonetas.

Pero este trabajo continuaba también durante el invierno. Esos doce kilómetros que separaban el penal del monte donde trabajaban lo recorrían a la intemperie, al igual que los guardiacárceles. No bien llegaban comenzaban a derribar árboles para luego conducirlos hasta las vagonetas y cargarlos. Luego se los llevaba a un terreno cercano al presidio donde se hacían los rajones. Otro poco se acumulaba cerca del muelle comercial y del muelle del presidio. En casos de tormenta —cuando no se aconsejaba desplazarse hasta el Monte Susana— se recurría a la madera allí acumulada.

También se seleccionaban los troncos que iban a ser utilizados en el aserradero del presidio para ser usados en construcción, muebles, postes, entre otras finalidades. En caso que un leñador se resistiera a trabajar se le daba el castigo del plantón: parado sobre un tronco con los brazos extendidos por una hora.

La leña que se utilizaba en la ciudad también era conducida por las vías del tren Decauville, pero no en el famoso trencito ni era cortada por los presos. La familia Jeréz tenía sus propios leñadores que cargaban la madera en zorras. Estas eran tiradas por caballos hasta el poblado utilizando las vías del tren.

Los otros trabajos importantes que realizaban los penados eran: la cantera, la usina y el lavadero manual. Junto con los distintos talleres ocupaban casi al 50% de los reclusos.

Los famosos trabajos que realizaban como cofres, bastones, lapiceras, cajitas, polveras, tapas de libros, percheros, eran comprados por los turistas que esporádicamente llegaban a Ushuaia y por algunos pobladores. Pero en realidad nunca se trató de trabajos a gran escala por falta de compradores.

Vale la pena escuchar a Osvaldo Lavado, quién nació en Ushuaia en 1921, y a su esposa Luz Marina Jerez, también de Ushuaia:

"Los guardiacárceles entraban a las 6 de la mañana porque a las 7 salía en trencito. En

install street lighting, and anything needed. This sort of works were better paid than those inside the prison. These convicts were also encouraged with a reduction in their sentences.

But only those who behaved themselves were allowed to work in the wood or in these public works. Works were assigned in the Roundabout of the Prison in the morning as well as warders who, carrying a rifle and fixing bayonets, were to follow convicts during the whole day surrounding them in a circle at a distance of about ten to fifteen meters.

Works in the wood started early in the morning and there were some prisoners who stayed for the night in the camp at Monte Susana in order to take advantage of the time usually wasted in traveling from the prison to the mount. These were the privileged convicts who could cook their own meal and enjoyed certain freedom in the open air. Especially the long days of summer. The rest of the prisoners were taken on the "small train" —woodcutters traveled on open carts, closely watched by armed warders. They stayed all day long in the wood falling trees (the prison consumed thirty cubic meters of firewood a day). When prisoners finished cutting down trees, they loaded the firewood obtained on the carts and returned walking or on open carts in case there were some room.

But these works went on in winter. Convicts as well as warders covered the twelve kilometers between the prison and the wood in the open air. As soon as they arrived at the wood, prisoners started to fell trees and then took them to the open carts which transported the trees to a plot of land near the prison where they were split. Whenever there was a storm the firewood stock there was used as it was not advisable to go to Monte Susana.

The selection of the logs to be used in the sawmill or for buildings, furniture or poles was another task. If a woodcutter refused to work, he was punished by having to stay standing on a trunk with both arms extended for an hour.

The firewood to be used in town was transported by the rails of the Decauville train, but not by the famous small train. It was not cut by the prisoners either. The Jeréz family had their own woodcutters who loaded their wood on drays which were pulled by horses to the settlement using the rails of the train.

The quarry, the power plant and the manual laundry were other important works in charge of the convicts. In these and the various workshops worked about fifty per cent of the confined.

Their famous works such as coffers, walking sticks, pens, small boxes, powder cases, book

invierno salían igual: primero la sesión (grupo de penados) caminando adelante con palas. Eran 50 o 60 limpiando y atrás el trencito, despacito, así se hacían 10 kilómetros, sacando con palas la nieve hasta llegar al Monte Susana y cuando llegaban al kilómetro 5 u 8 hay unos barrancones en los que hacían unos túneles en la nieve. El primer tren era una máquina chiquita, que estuvo unos 25 años, después hubo una más grande con trocha un poco más ancha, con esta se podía traer más carga. El preso se dedicaba a preparar la leña en invierno y en verano, y algunas comisiones salían al pueblo a colaborar con la Comisión de Fomento (Municipalidad). Siempre el de buena conducta, el de mala conducta quedaba adentro, interno. Se dedicaban a la limpieza, pintura, tenían la cárcel como un espejo, se podía comer en el piso. En la entrada tenían un invernáculo, frente a la casa del director, del que sacaban hasta manzanas. En verano tenían lechuga, pepino, zanahoria, hasta zapallitos, todo vidriado. El césped todo cortado. En las horas libres hacían trabajos manuales en nudos (de lenga), que vendían a la gente del pueblo en la alcaldía. El preso tenía un peculio, había hasta de 1 peso para el que trabajaba en el corte de la leña, 25 centavos, por buen comportamiento, 30 centavos, por día y había presos que tenían que estar 25, 30 años, salían con plata (sic.).

Algunos pobladores intercambiaban legumbres con los presos, que era lo que se podía poner en la tierra, hacían un pozo y en bolsitas ponían porotos, arvejas, y lo tapaban con un palo o champas, entonces el papá de Luz Marina (la esposa del señor Lavado) les sacaba eso y les daba chocolate, cigarrillos. Bebidas no, porque no le permitían nada. Así era la comunicación: no se hablaban entre ellos, pero así se comunicaban. Dice que era gente buena y su esposo agrega que después de cinco años de estar en la cárcel eran todos buenos, a pesar de que estaban bien, comían y dormían bien, pero el castigo era estar encerrados y pensar en la familia y los amigos que habían dejado en sus lugares, cada tanto algún preso aparecía ahorcado en su celda con la sábana, no habían podido soportar el remordimiento o la injusticia...(sic)"

Penas que se cumplían en la Cárcel de Reincidentes de Ushuaia

La cárcel nace en 1896 para que los presos condenados por la ley Nº 3.335 de reincidentes por segunda vez cumplieran allí sus penas. En un principio, se enviaron mujeres condenadas y funcionó una sección para menores de edad.

covers, clothes hanger were bought by tourists who sporadically arrived in Ushuaia and by some inhabitants. In fact, they were never manufactured on a large scale because of the scarce number of purchasers.

It is worth listening to Alfonso Lavado —who was born in 1921 in Ushuaia— an to his wife Luz Marina Jeréz who is also from Ushuaia:

"Warders started working at 6 in the morning because the small train left the prison at 7. In winter, the routine was the same —first a session (group of convicts) ahead carrying shovels. They were fifty or sixty cleaning after the small train, slowly. So they walked 10 kilometers taking the snow aside with shovels until they arrived at Monte Susana. And when reaching kilometer 5 or 8 —where there are some ravines— they made some tunnels in the snow. The first train was a small machine which worked for some twenty-five years. Then came a larger one with a wider gauge which could carry heavier load. Prisoner were in charge of getting firewood in winter and summer and some groups went out into town to help the Municipality. These were the convicts who behaved well; those who did no behave themselves stayed inside the prison, interned, and were in charge of cleaning, painting and kept the prison as clean as a mirror: you could eat out of it. There was a greenhouse at the entrance, opposite the director's house, of which they got apples. In summer they grew lettuce, cucumber, carrots, and even small vegetable marrows. It was completely made of glass. The lawn was cut short. In their spare time they made crafts with knots of lenga (high deciduous beech) which were then sold to the inhabitants in the post of wardens. Each prisoner had his own private money, they were paid up to 1 peso for those cutting firewood; 25 cents for good behavior; 30 cents a day. Those convicted for 25 or 30 years left the prison with money (sic.)

Some settlers exchanged legumes which could be cultivated with prisoners. They dug a hole and buried small bags containing dry beans, green beans and covered it with a stick or sods. So, Luz Marina's father (Mr. Lavado's wife) gave them chocolate bars and cigarettes in exchange. No alcoholic drinks because they were forbidden. Thus they communicated; they did not speak but they got in touch this way (sic.)" She says convicts were nice people and her husband adds that after staying for five years in prison all of them were good. Although they lived in good conditions, ate and slept well, but the punishment of being confined and thinking about their family and friends left behind. Every now and then, some convict appeared

1899: Comienzan a cumplirse también en Ushuaia las pena de presidio, enviados por la Penitenciaría Nacional.

1903: Por ley 4.189 del 22 de agosto, que introduce la pena de deportación, el Poder Ejecutivo dispone que en ciertos casos se cumpla en el territorio fueguino.

1907: se admiten condenados remitidos por las provincias que carecían de establecimientos penales adecuados para presos altamente peligrosos.

El 1º de julio de 1910 el Poder Ejecutivo (PEN) dispone que en Ushuaia podrán cumplirse, indistintamente, las penas de presidio y de penitenciaría.

El 14 de octubre de 1911, el PEN dispone que el Presidio Militar de Ushuaia pase a depender del Ministerio de Justicia e Instrucción Pública, refundiéndose con el Presidio y Cárcel de Reincidentes de Tierra del Fuego.

En 1921 se pone en vigencia un nuevo Código Penal. Así es como el Poder Ejecutivo ordena, a partir del 29 de diciembre de 1922, que en Ushuaia se cumpla la pena de reclusión y la medida de seguridad por tiempo indeterminado para los delincuentes multireincidentes y habituales.

Finalmente, el 10 de octubre de 1924, el PEN decreta que en los casos de mayor peligrosidad se cumplan en la cárcel de Ushuaia tanto la pena de reclusión como la de prisión.

En 1943 se crea la Gobernación Marítima y se opera un replanteo geopolítico de la región fueguina. El 21 de marzo de 1947 se dispone la clausura de la Cárcel de Ushuaia invocándose razones de orden penitenciario. El 21 de diciembre de 1947 parte de Ushuaia el último grupo de personal penitenciario.

De esta forma fue como además de mujeres y niños en un primer momento, se llegaron a cumplir las penas de reincidencia, correccional, presidio, penitenciaría, alta peligrosidad, y el famoso artículo 52 "por tiempo indeterminado". De acuerdo a la pena —de prisión o reclusión— se asignaban trabajos en el presidio o trabajos públicos.

Pena de prisión por tiempo indeterminado y de deportación

En 1903 se incluye la pena de deportación en el Código Penal y el Poder Ejecutivo determina que en algunos casos debe ser cumplida en territorio fueguino. Esta pena de deportación es impuesta a los reincidentes como accesoria a la condena aplicada por el delito cometido. Consiste en ser enviado por tiempo indeterminado a algún lugar que determine el Poder

hanged with a sheet in his cell. They could not stand either their remorse or unfairness.

Sentences Served in the Second Offenders Prison of Ushuaia

The prison was opened in 1896 for prisoners to serve their sentences there according to second offenders Law Nº 3.335. At the beginning women were sent and there was a section for minors.

1899: The National Penitentiary starts sending convicts sentenced to prison to Ushuaia.

1903: In some cases, the Executive ordered the penalty of banishment (Law 4189 of August 22) to be served in the Fuegian territory.

1907: Convicts from provinces lacking proper penal establishments for highly dangerous prisoners are accepted.

On July 1 1910 the Executive disposes that prison and penitentiary penalties will be both served in Ushuaia.

On October 14, the Executive disposes the Military Prison of Ushuaia to depend on the Ministry of Justice and Education, thus remerging with the Prison of Second Offenders of Tierra del Fuego.

A new Penal Code comes into force in 1921. Therefore, the Executive orders second offenders and usual criminals sentenced to confinement or indefinite time imprisonment serve their sentences in Ushuaia from December 29, 1922.

At last, on October 10 1924, the Executive decrees that most dangerous criminals serve both confinement and prison penalties in the prison of Ushuaia.

The Maritime Government is created in 1943 and a geopolitical restatement of the Fuegian region takes place. Invoking penitentiary reasons, the closing of the Prison of Ushuaia is ordered on March 21, 1947. The last group of penitentiary staff sets sail from Ushuaia on December 21 that same year.

At the beginning, apart from women and children, there were second offenders and other prisoners sentenced to prison, corrective, penitentiary, and the famous "indefinite time imprisonment" punishments. According to the penalty of prison or confinement, convicts had to work either inside the prison or in public works.

Indefinite Time Imprisonment and Banishment Penalties

The banishment penalty is included in the Penal Code and the Executive Power orders that, in some cases, it has to be served in the

Ejecutivo. Los deportados debían adquirir algún oficio y, si observaban buena conducta, podían pedir —después de 15 años— que se los exonerara de la pena. Esto fue así hasta 1916 cuando, durante la presidencia de Hipólito Yrigoyen, los condenados fueron enviados al territorio de Chubut. Es interesante la reflexión de Carlos García Basalo, especialista en asuntos de servicio penitenciario, quien escribe: "Los deportados son en su inmensa mayoría, lunfardos, es decir habituales autores de delitos de menor cuantía contra la propiedad".

A partir de 1922 el Poder Ejecutivo determina que en la cárcel de Ushuaia se debía cumplir la pena de reclusión y la medida de seguridad por "tiempo indeterminado" que prevé el Artículo 52 del Código Penal para los delincuentes multi reincidentes y habituales.

Tratando de actuar para salvaguardar la sociedad de aquellos delincuentes que, una vez que cumplían su pena, volvían a delinquir perpetrando un delito igual al anterior se lo encerraba por el tiempo de su condena y se le agregaba la pena de "tiempo indeterminado". Tomemos un caso concreto recopilado por el Dr. Angel E. González Millán: "...un ladronzuelo de Puerto Madryn, que se dedicaba a robar las gallinas de los vecinos. Cometió 5 delitos. Le aplicaron los 2 años que le correspondían por el hurto en la última pena y, además, la accesoria del artículo 52. Hacía siete años que estaba en la cárcel y no tenía posibilidad de salir." Este penado vivía igual que los presos peligrosos recluido en su celda en pabellones de máxima seguridad.

Si observaba buena conducta y, luego de cumplir la primera condena, el preso podía pedir que se le fijara una fecha a la accesoria de tiempo indeterminado. Pero esto no quería decir que le fuera fijada. Se evaluaba la situación particular y luego se informaba al juez.

Es interesante un artículo del diario Crítica donde un periodista describe casos de aplicación de esta pena. El artículo apareció con motivo del cierre del penal. "... En ese momento había en la cárcel muchos rateros, eran víctimas del artículo 52, que se aplica a reincidentes. Ya nombramos a Antonio Merlo, cuyo último delito fue robar una lata de aceite.

José Arcangeli, condenado a tres años por disparo de arma de fuego, lleva allí siete.

Domingo Ricardo Falbi aseguraba que su esposa había intentado matarlo, él se defendió, en el fragor de la lucha, se le escaparon dos balazos y allí está desde hace diecisiete años, con una condena de apenas cinco.

Juan José Franceschini, que robó un auto, ha recibido tres años de prisión y tiene cumplidos seis.

Fuegian territory. This banishment penalty imposed on second offenders as cumulative punishment for a felony. The convict is sent for an indefinite time to a place assigned by the Executive. At that time, the banished had to learn some craft and if they behaved themselves they could ask —after 15 years— for exoneration. This went on till 1916 when, during the presidency of Hipólito Yrigoyen, convicts were sent to the territory of Chubut. It is interesting to note the reflection of Carlos García Basalo who wrote: "Most banished are lunfardos (crooks), i.e. the usual offenders of minor importance felonies against property."

The Executive establishes that, from 1922 on, penalties of confinement and "indefinite time imprisonment" for usual and second offenders, according to Article 52 of the Penal Code, should be served in the prison of Ushuaia.

In order to protect the society from offenders that, once released, broke the law perpetrating the same felony they were confined for the time of their sentences adding the "indefinite time" penalty. Let us consider a case compiled by Dr. Angel E. González Millán:

"...a filcher from Puerto Madryn that usually robbed the neighbors' hens. He committed 5 offenses. He was sentenced to 2 years for larceny, apart from the cumulative punishment according to article 52. He had been in prison for seven years and he had no chance of being released." This convict lived just in the same way as dangerous criminals, confined in his cell in a top security pavilion. If a prisoner behaved well and served his first sentence, he could ask for a date to be set for the cumulative penalty of indefinite time. Anyway, this did not mean immediate freedom. Every case was considered and the judge was informed.

There is an interesting article of Crítica newspaper in which the reporter describes cases of this penalty. The article was published because of the closing of the penal. "... At that time there were many petty thieves in the prison; they were victims of article 52 that is imposed on second offenders. We have already mentioned Antonio Merlo, whose last felony was to steal an oil can.

"José Arcangeli, sentenced to three years' imprisonment for firearm shot, has been there for seven years. Domingo Ricardo Falbi claimed his wife had attempted to kill him, he defended himself and, in the din of battle, two discharges were accidentally shot and he has been there for seven years although he was sentenced to five.

"Juan José Franceschini, who stole a car,

Agustín Pedra, es probablemente, la víctima más castigada del artículo 52: debía pagar con dos años por encubrimiento y hurto y hace veinte perdió la libertad...".

Las evasiones

Las posibilidades de fugas prácticamente no existían en Ushuaia, a menos que se contara con ayuda exterior. Y aun en este caso resultaba difícil como lo demuestra la fuga de Radowitsky, quien fue devuelto al penal por las autoridades chilenas. Pero por supuesto, lo que más difíciles las hacía era la ubicación geográfica, los bosques y montañas y el intenso frío que reinaba durante la mayor parte del año. Tampoco podían pasar desapercibidos en el pequeño poblado donde todos se conocían. El mar que rodea la isla nunca supera los 11 grados centígrados de temperatura y una permanencia prolongada en el agua lleva a una muerte segura.

Intentos existieron muchos. En una oportunidad, regresando con el "trencito" del campamento del Monte Susana donde talaban árboles, seis penados intentaron fugarse. En seguida los guardias dispararon y tres de ellos terminaron muertos y los demás recapturados. Hubo otros casos de fugas como el del preso que se quedó viviendo en el campanario de la iglesia y fue descubierto en forma casual mientras caminaba por la calle.

Varios desaparecieron sin dejar rastros. ¿Habrán tenido éxito o murieron en el intento por cruzar el canal o perdieron la orientación en estos bosques de montaña? ¿Habrán pasado a alguna isla chilena? ¿Y desde ahí: cómo siguieron? En realidad, de penados pasaron a la categoría de fugados para convertirse en desaparecidos dado que nunca más se supo de ellos.

Aparentemente, la mayoría de las evasiones se producían para poder gozar un poco de libertad por unos días. Sabían que cuando prendiesen un fuego para calentarse o comer algo caliente el humo los delataría. Así es como debían conformarse con cazar algún ave y comérsela cruda, cuando tenían suerte. Muchos de los fugados se mostraban contentos cuando se los recapturaba. Por lo general, el estado de salud era peor que cuando habían escapado y casi todos estaban medio muertos de hambre. Pero con la alegría de haber pasado unos días en libertad sin trabajar y sin horarios ni castigos.

Existieron evadidos que no salieron del penal. Se quedaban ocultos en algún taller o lugar poco frecuentado hasta que eran descubiertos.

En el anexo 6 se transcriben testimonios orales de antiguos pobladores con respecto a

was sentenced to three years and has already served six.

"Agustín Pedra is probably the most punished victim of article 52: he had been sentenced to two years for complicity and larceny but he has been imprisoned for twenty..."

Escapes

To escape from Ushuaia was practically impossible unless there was external help. Anyway, it was difficult as Radowitsky's escape shows —Chilean authorities sent him back to the prison. Of course, what prevented escapes was the geographical location, the woods and mountains and the deep cold most of the year. Besides, everybody in town knew the prisoners. The temperature of the surrounding sea is never over 11° C and staying long in these waters leads to death.

There were many attempts. On one occasion, the small train was back from the camp in Monte Susana (where trees were cut down) and six convicts tried to run away. Immediately, warders shot and three of the prisoners ended up dead and the rest were caught.

There were other cases: one convict stayed in the church's bell tower till he was accidentally found out while walking along the street.

Many disappeared without trace. Did they succeed or died attempting to cross the channel or were lost in those woods in the mountain? Did they arrive in any Chilean island, and once there how did they go on? In fact, convicts became fugitives and then missing and nobody ever knew of them again.

Apparently, most escapes aimed at enjoying some days of freedom. Convicts knew that no sooner did they make a fire to get warm or eat something, the smoke would denounce them. So they had to manage catching some bird and eating it raw, when they were lucky.

Many escaped prisoners were happy to be caught. In general, they were in poor health conditions —worse than before the escape— and most were starving to death. Anyway, they were happy as they had spent some days of liberty away from work, timetables and punishments.

Some fugitives never left the prison. They stayed hidden in some workshop or solitary place till they were found out.

In appendix 6 you will find the transcriptions of old settlers' oral testimonies about escapes. Alfonso Lavado was a policeofficer of the territory and Juan Bernales worked as warder. The rest are charming as they lived in the Ushuaia of the pioneers.

las fugas. Alfonso Lavado fue policía del territorio y Juan Bernales se desempeño como guardia cárcel; los demás tienen el gran encanto de haber vivido aquella Ushuaia de los pioneros.

Cultura

El lema de la cárcel era Higiene, Orden, Disciplina y Trabajo. Bajo estas cuatro simples palabras Catello Muratgia sintetizaba lo que él consideraba las bases para poder reencausar a los hombres que habían delinquido. Así es como tanto en los talleres, baños, pabellones, comedores y demás dependencias del presidio se podían observar carteles con estas palabras.

También consideró importante darle a los presos una preparación para cuando recobraran la libertad. De esta forma fue como dentro de la organización no faltó la escuela y la biblioteca.

Se trataba de una escuela primaria. Esta cambió varias veces de ubicación, pero durante mucho tiempo fue una sala del martillo del Pabellón 4 dividido en varias aulas de regulares dimensiones (actual primer piso, cafetería y sala del Correo Argentino). Los alumnos asistían a clase después de la jornada de trabajo, durante la hora que se les asignaba para higienizarse o arreglar la ropa, y sólo aquellos que tenían buena conducta o que no estuvieran castigados. Es evidente que la asistencia no era muy numerosa. En 1935, de 538 penados sólo 57 asistían a clases.

En el mismo pabellón, el N° 4, había una biblioteca a cargo de un penado.Durante un tiempo trabajó allí un preso muy famoso: Guillermo Mac Hannaford. Considerado por los otros presos como un caballero, era muy respetado y temido por el tipo de delito por el cual fue a parar a Ushuaia: espionaje. Para la sociedad argentina fue algo similar al famoso caso Dreyfus.

En 1934 constaba de 1.200 volúmenes, algunos donados por ex presidiarios. Sin existir una adecuada selección de libros la mayoría eran novelas. Era el mayor escape que podían tener los presos y, al igual que la asistencia a clase, el derecho a sacar un libro lo tenían aquellos presos que mantuvieran buena conducta.

Muchos de los presos encontraban un modo de evasión a la realidad mediante la escritura. Es así como fueron muchos lo que se dedicaron a la poesía, mientras otros escribían ensayos sobre la naturaleza del criminal encerrado o pensamientos sobre cómo debería ser un establecimiento penal, entre otros temas. Lamentablemente estos cuadernos o apuntes fueron guardados en archivos perdiéndose la mayoría

Culture

Hygiene, Order, Discipline and Work was the prison's motto. With this four simple words, Catello Muratgia summarized what he considered the bases to re-educate men that had committed a crime. Thus, in workshops, bathrooms, pavilions, dining-rooms of the prison this motto could be read.

He also believed it was important the prisoners were ready to make a new life when released. Therefore, there were a school and a library.

This primary school moved several times, but for a long time it was situated in a room in the hammer of Pavilion 4 split into several classrooms of regular size (present first floor, cafeteria and Correo Argentino salon). Students went to class after working hours, during the time set for having a bath or tidying up their clothes —this was only for convicts who behaved well and were not punished. It is obvious that very few went. In 1935, only 57 prisoners went to school out of 538.

The library —in charge of a convict— was also in pavilion 4. A very famous prisoner worked there for some time: Guillermo Mac Hannaford. His mates regarded him as a nobleman, he was respected and feared because of the kind of offense he had committed —spying— and for which he had ended up in Ushuaia. For the Argentine society it was like the famous Dreyfus case.

In 1934, the library had 1200 volumes, some of them donated by ex convicts. Most of them were novels. Prisoners entertained themselves with books and going to school. Those convicts who behaved themselves had the right to ask for a book.

Many convicts evaded from reality by writing. Many devoted to poetry and others wrote essays about the nature of the confined criminal or their opinion on how penal establishments should be. Unfortunately, their notebooks and notes were kept in files and most of them were lost when the prison was closed and files taken to the National Penitentiary in Buenos Aires.

INSTRUCCION

Saben leer y escribir 55
No saben leer y escribir 12

Datos correspondientes a los 77 presos correccionales incorporados en 1900.

cuando la cárcel dejó de funcionar y fueron trasladados al archivo de la Penitenciaría Nacional, en Buenos Aires. De cualquier forma en el anexo 5 podemos leer algunos poemas y parte de un ensayo.

Entre los poetas de 1932 tenemos a Octavio Pico. En una entrevista contaba que leía todo lo que podía, en especial los domingos y en la semana durante los recreos. Los demás días trabajaba con entusiasmo porque le pagaban 70 centavos diarios y gracias a ellos podía girarle algo de plata a su familia. También Germán García se dedicaba a escribir novelas, escribió una llamada Tribulaciones de Aniceto, que nunca se publicó, como todas las demás.

A partir de 1936, y gracias a los reclamos, se trataron de mejorar las condiciones de vida de los reclusos. El Alcalde de la cárcel de Ushuaia, Don Roberto Pettinato, muy querido y reconocido a nivel nacional, introdujo algunos cambios. Trató de mejorar las condiciones de vida de los reclusos generando más trabajo con la instalación de una granja, en la que se efectuaron trabajos de experimentación con el asesoramiento del Instituto de Genética de la Facultad de Agronomía y Veterinaria (de la Universidad de Buenos Aires), y encaró la práctica de deportes adecuados al penal como el fútbol, las bochas y el basquetbol. En seguida comenzaron a hacer campeonatos y fueron muchos los partidos disputados entre los reclusos y equipos de la ciudad de Ushuaia.

Todo estaba unido con la parte cultural y espiritual dado que aprovechó la "Rotonda" para realizar actos religiosos y conciertos de música, a cargo de las bandas de los barcos de la Marina de Guerra y de la Banda de la Escuela de Música del Establecimiento, que también tocaba durante los actos patrióticos en la ciudad. Fomentó la proyección de películas cinematográficas, y la celebración de actos con autoridades de la ciudad y militares, como así también los campeonatos de ajedrez.

Durante su paso por el establecimiento los penados editaron algunos periódicos: entre ellos estaba "El Loro". Se trataba de un manuscrito, hecho íntegramente por los reclusos, que constaba de una página de 0,76 cm. por 0,69 cm. y llegó a haber ediciones de un sólo ejemplar que pasaba de mano en mano. Por supuesto que contenía crónicas y comentarios de los actos deportivos realizados. Pero para la temporada deportiva de la cárcel aparecía un medio especializado que tuvo el nombre de "El inflador". También era redactado por los reclusos y constaba de cuatro páginas de 0,47 cm. por 0,35. Las ediciones especiales tienen seis páginas. Habitualmente estaba ilustrado por dibujos en colo-

Anyway, in appendix 5 we can read some poems and part of an essay.

Octavio Pico was one of the poets of 1932. He said in an interview that he used to read as much as he could, especially on Sundays and during breaks in the week. The rest of his days he worked enthusiastically since he was paid 70 cents a day so that he could send some money to his family. Germán García also used to write — he wrote a novel called Tribulaciones de Aniceto (Aniceto's Tribulations) that was never published —just like others.

From 1936 on, and thanks to demands, there was an attempt of improving the prisoners' lifestyle. The governor of the prison of Ushuaia, Don Roberto Pettinato —who was a highly regarded person in the whole country— made some changes. He tried to rise the prisoners' life standard by giving more work, so he set up a farm where experiments with the aid of the Genetics Institute of the School of Agronomy and Veterinary (Instituto de Genética de la Facultad de Agronomía y Veterinaria) of the University of Buenos Aires were carried out. He also promoted the practice of sports proper for a penal such as soccer, bochas and basketball. Soon afterwards, there were championships and there were many matches played between convicts and teams of Ushuaia.

Everything had to do with the cultural and spiritual aspects as the "Roundabout" was used to celebrate religious meetings and concerts by bands from the Navy ships and the band of the school of music of the prison, which also played for national celebrations in town. Pettinato promoted the screening of films and the celebration of acts with the presence of the authorities of the town and military men. He also encouraged chess championships.

During his period, prisoners published some newspapers —one of them was "El Loro". It was a manuscript edited completely by prisoners. It was a page of 0.76 cm by 0.69 cm and there were some issues of just one copy that was passed from hand to hand. Of course, it consisted of chronicles an comments on sportive activities. But during the prison's sportive season a specialized paper appeared — "El inflador". It was also written by the convicts and had four pages of 0.47 cm by 0.35. There were six-pages special issues. This paper was regularly illustrated by color drawings and — apart from sportive chronicles, comments and news— included editorial articles in which moral principles and chivalrous sport were exalted, and a literary page with poetry and prose. This one replaced "El Loro" immediately. (Appendix 7).

res y además de las crónicas, comentarios y noticias de carácter deportivo, incluía notas editoriales en las que se exaltaban los valores morales del deporte caballeresco y una página literaria en prosa y en verso. En seguida reemplazó a "El Loro". (Anexo 7)

Censura

Es lógico suponer que toda comunicación hacia o desde la cárcel estaba supervisada. Es así como los periódicos no ingresaban legalmente y cuando lo hacían eran más que viejos dado que llegaban con el buque de la Armada que visitaba Ushuaia a lo sumo cada dos meses.

Lo mismo sucedía con la correspondencia que era abierta y censurada. Pero además sólo podían escribirse con sus familiares que figuraban en una lista para ese efecto. Las visitas eran nulas. Tanto por la pena dada como por el aislamiento en que vivía Tierra del Fuego.

Pero como siempre sucede existieron varias formas de evadir a esta censura. Una de ellas fue gracias a algunos celadores o guardianes que sea por compasión o soborno sacaban del presidio correspondencia que luego depositaban en el correo.

También los pobladores se convertían a veces en cómplices al dejarle ocultas entre piedras o escombros viejos periódicos, mensajes o hasta yerba y cigarrillos a aquellos penados que realizaban trabajos en el pueblo y se habían ganado la simpatía de los vecinos (según el testimonio oral de antiguos pobladores).

Salud, enfermería y hospital

Durante mucho tiempo no hubo hospital en la cárcel de Ushuaia. En realidad este padecimiento no sólo lo sufrieron los penados sino también los habitantes de la ciudad. Los casos graves necesitaban de un riguroso traslado hacia el continente que se realizaba por medio de los buques de la Armada Argentina. Estos con suerte llegaban a puerto cada dos meses. Los enfermos que embarcaban ya estaban en tan malas condiciones que por lo general morían en el trayecto. Pero si pensamos que estas condiciones eran inhumanas, imaginemos las de los hombres que enviaron a los presidios de la isla de los Estados cuando el aviso los visitaba con una frecuencia que oscilaba entre dos y seis meses. Tanto presos como carceleros estaban en las mismas condiciones.

El problema sanitario fue tan grave que la familia Bridges llegó a encargar un rápido velero con dos palos y dos motores para tratar de llegar en dos días a Punta Arenas desde

Censorship

It is logical to suppose that any communication to or from the prison was supervised. Newspapers entered illegally and were really old as they were brought by the Navy ship that anchored in Ushuaia every two months.

Mail was opened and censored. Convicts were allowed to write only to the relatives who were on a list. There were no visitors —both because of the nature of penalties and because of the isolation of Tierra del Fuego.

Anyway, as usual, there were some ways of eluding this censorship. Some merciful guards took letters with them to send by mail. Others were bribed to do so.

Sometimes, setllers were accomplices as they left old papers, messages and even mate or cigarettes hidden among stones or rubble for those convicts working in town that inspired affection (According to old settlers' oral testimony).

Health, Infirmary and Hospital

For a long time the prison of Ushuaia had no hospital. In fact, this situation was not only suffered by prisoners, but also by the inhabitants of the town. The seriously ill had to be taken to the continent by the Argentine Navy ships. When lucky, they arrived every two months. In most cases, the critically ill who embarked died during the voyage. But if this situation was inhuman, what happened to men sent to the prison of Isla de los Estados if we bare in mind that a dispatch boat cast anchor every two or six months. Both prisoners and jailers were in the same situation.

Harberton. Ese barco es el Lela que todavía se encuentra en la estancia.

Volviendo a la cárcel podemos ver que hasta 1936 no hubo dentista. Así es como una simple carie terminaba con el diente y la boca desdentada de la mayoría de los condenados era algo corriente.

Durante mucho tiempo sólo existió una enfermería que se fue mudando de lugar hasta que encontró en el piso superior del martillo del Pabellón 3 su lugar definitivo hasta la inauguración del Hospital en 1943.

Una sala estaba destinada para el instrumental, oficina y lugar de consulta, el resto estaba ocupado con camas para internación. Un médico con la ayuda de varios enfermeros se ocupaba de todo el penal, incluidos guardianes y guardiacárceles.

El pabellón 3 fue también el sitio donde alojaban a los presos con enfermedades infecciosas y venéreas. Pero dado que el lugar no alcanzaba era común distribuir a grupos de condenados con la misma enfermedad en otros pabellones, así es como en el No.1 hubo un grupo de tuberculosos en varias celdas.

Como dato para tener en cuenta de cómo funcionaba sanitariamente la cárcel podemos mencionar que en 1934 se reconocía oficialmente que el 54 por ciento de la población carcelaria de Ushuaia estaba enferma. Es muy posible que esa cifra fuera mayor dados los precarias medios de que disponían.

Desde 1933 se trabajaba en la construcción del hospital. Pero los trabajos se suspendían y eran retomados cuando se enviaban fondos. La pesadilla terminó cuando la dirección del penal encaró el tema por sus propios medios. Al no recibir recursos especiales los obtuvo de los fondos generales y con la mano de obra y los talleres de la cárcel se logró su inauguración en 1943. Después pasó a ser el actual Hospital Naval que prestó mucha ayuda no sólo a la población de la cárcel sino a toda la población de Ushuaia.

Fue inaugurado en febrero de 1943 con la presencia del Ministro de Justicia e Instrucción Pública, Dr. Guillermo Rothe. Se trata de un edificio de una sola planta dividido en dos cuerpos. En la revista Penitenciaría podemos leer una correcta descripción realizada con motivo de la inauguración: "El primer cuerpo del edificio dispone de un amplio hall de entrada, sala de espera, despacho para el médico, sala de operaciones, locales para desinfección, curaciones, consultorios y rayos x; y también los baños. El segundo cuerpo tiene forma de "U". Posee en las ramas verticales de esta dos amplias salas, con sus respectivos comedores

The sanitary problem was so serious that the Bridges family bought a sailing ship with two masts and two engines to try to get to Punta Arenas from Harberton. She is called "Lela" can still be found in the estancia.

As regards the prison, there was no dentist until 1936. Therefore, mere caries destroyed a tooth. It was usual that most convicts had no teeth at all.

For a long time there was only an infirmary that moved from place to place till it finally settled in the floor above Pavilion 3 hammer up to the inauguration of the hospital in 1943.

One room was destined to instruments, the office and consulting room. The rest was occupied by beds for internment. A doctor helped by some nurses where in charge of the whole penal, including guards and warders.

Prisoners suffering from infectious or venereal diseases were also in pavilion 3. But as there was no enough room, some groups of convicts with the same disease were lodged in other pavilions. So in number 1 there was a group of convicts suffering from TB in several cells.

To have a picture of the sanitary situation of the prison we may consider that in 1934 it was officially known that 54% of the prison's population of Ushuaia was ill. This cipher could be higher given the precarious means.

The building of the hospital started in 1933. But works were stopped and started again when funds arrived. The nightmare came to an end when the prison's direction faced the project with its own resources. Funds were taken from the ordinary budget as there was no extra money. The prison's workshops and manual labor the hospital was inaugurated in 1943. Afterwards, it became the present Naval Hospital that helped a great deal not only to the prison's population but also to the whole population of Ushuaia.

It was opened in February 1943 before the Minister of Justice and Public Education, Dr. Guillermo Rothe. It is a one-story building divided into two units. In the Penitentiary magazine we can read a good description written for the inauguration: "The first unit of the building has an ample entrance hall, waiting room, doctor's office, surgery; rooms for disinfection, cure; consulting rooms, X- rays and toilets as well. The second unit is "U" shaped. Two ample rooms are situated along its vertical branches an have their corresponding dining-rooms at the extremes. Both rooms are connected by their common horizontal branch. These rooms are as follows: kitchens, storeroom, small room for the ill, linen room, small confine-

en los extremos. Ambas salas se comunican por la rama horizontal de la "U" por medio de un amplio pasaje cubierto al que dan acceso asimismo los demás locales anexos a cada una de aquellas. Dichos locales son los siguientes: cocinas, depósitos, salita para enfermos, piezas para lencería, salitas de aislamiento y farmacia.

"Cada sala tiene 22 camas, estando destinada una de ellas para afecciones de clínica general y la otra para clínica quirúrgica. Además, hay una habitación con dos camas, cuya finalidad es la internación de los empleados enfermos de gravedad.

Todo el edificio cuenta con calefacción central. La sección de cirugía cuenta con elementos suficientes para efectuar hasta cuatro operaciones consecutivas, situación que aunque no común, puede presentarse en el penal. Para la esterilización se construyó en los talleres de la propia cárcel, una estufa de calor seco, con capacidad para cuatro cajas.

Se organizó un equipo de traumatología, de tipo Bohler, con el que se puede tratar cualquier especie de fractura. Es de subrayar que la mayoría de los elementos de este equipo, mesa para fracturados, arco de Bohler, etc., fueron construidos en los talleres del penal.

La sección de fisioterapia está munida de aparatos para la aplicación de rayos ultravioletas, diatermia y termaforos.

Cuenta con un botiquín para el tratamiento de intoxicaciones, como también con un equipo para la curación de quemaduras. Al efecto, la cama estufa, fue confeccionada en el establecimiento. En el laboratorio, aún no equipado en su integridad, pueden realizarse los análisis más corrientes. Actualmente se está organizando una sección de hemoterapia, con la clasificación de los reclusos por grupos sanguíneos; otra destinada al tratamiento de la sífilis, a cuyo fin se lleva cada penado su respectiva libreta de tratamiento antiemético.

Las obras del hospital fueron proyectadas hace ya años por la Dirección General de Arquitectura, cuya construcción iniciara. Pero, debido a la falta de recursos, debieron paralizarse. Entonces, la dirección de la cárcel tomó a su cargo las obras que continuó hasta terminar, con la mano de obra de los reclusos y costeándolas con los recursos ordinarios del establecimiento.

Cabe destacar, en lo que a esto último se refiere, la empeñosa labor y la digna preocupación del Director de la Cárcel, don Raúl Ambrós y de todo el personal que lo secundara.

La organización del nuevo hospital estuvo a cargo del jefe de servicio médico de la cárcel, y

ment rooms and pharmacy.

Every room has 22 beds and one is destined to clinic affections an another for surgical. Besides, there is a room with two beds for critically ill employees.

The whole building has central heating. The surgery section has enough facilities to perform four consecutive operations, an unusual situation that anyway may arise in the penal. A dry heat stove was built in the workshops of the prison itself to sterilize; it has capacity for four boxes.

A Bohler equipment was organized to treat any kind of fracture. Most of the elements of this equipment, fractured table, Bohler arch, etc. were manufactured in the prison's workshops.

The physiotherapy section has devices for treatment with ultraviolet rays and diathermy.

There is a medical kit for the treatment of intoxication as well as an equipment for the healing of burns. For this purpose, a stove-bed was made in the establishment. In the laboratory, which is not yet fully equipped, the most usual analysis can be performed. At present, a hemotherapy section is being organized classifying the convicts according to their blood group; another one for the treatment of syphilis for which purpose every prisoners has his own notebook of antiemetic treatment.

The hospital's works were planned years ago by the Architecture Head Office which started the building. But, owing to the lack of funds, works had to stop. Then, the prison's direction took over and finished with the works employing the prisoner's manual labor and using the regular funds of the establishment.

"As regards this, it is worth noting the tenacious work and dignified care of the Director of the Prison, Don Raúl Ambrós, and all his staff.

The organization of the new hospital was in charge of the head of the prison's medical service and the only surgeon in the prison, Dr. Juan José Regazzoni who, as specialist in prison medicine and thanks to his former experience in the Central Penitentiary Hospital, worked with high efficiency and enthusiasms the task entrusted by the General Direction."

Hygiene

Toilets were situated in the semicircle in the squares (hammer) of each pavilion. They had no door so that the convict could be watched over by the guard or watcher while he eased his nature. According to the testimonies of old employees of the prison, this water closets were used by the prisoners that inhabited the square. The rest used a bronze chamber pot called

único facultativo del penal, Dr. Juan José Regazzoni, quien dada su especialidad en medicina carcelaria y anterior experiencia en el Hospital Penitenciario Central, cumplió con la máxima eficiencia, dedicación y entusiasmo, la difícil tarea encomendada por la Dirección General."

Higiene

Los baños, retretes, estaban ubicados en semicírculo en las cuadras (martillo) de cada pabellón. Estos no tenían puertas y de esa manera el penado podía ser vigilado por el guardián o el celador mientras hacía sus necesidades. Según testimonios de antiguos empleados del penal estos retretes eran utilizados por los presos que habitaban la cuadra. Los demás hacían sus necesidades en la celda en un tacho de bronce al que se le llamaba "zambullo". Por la mañana iban en fila a los retretes a vaciar los zambullos.

La calefacción estaba dada por unos "tachos" casi de 1 metro de diámetro donde se quemaba, día y noche, leña. Según algunas versiones existía uno sólo en el centro de cada pabellón. Otros hablan de por lo menos tres por pabellón, además de la cocina económica que tenían los guardianes para calentar la comida. Es muy probable que las dos versiones sean correctas y ello dependería de cada pabellón en particular o de la cuadra (martillo). Según testimonios orales, nadie recuerda que el frío haya sido un tormento en los pabellones. Como expresaba el Sr. Manuel Buezas: "Recordemos que tanto el guardián como el celador vivía junto al penado".

Evidentemente no era una calefacción como pueden ser las actuales pero todos aseguran que se llegaba a una temperatura aceptable. Por la noche en las celdas era otra cosa, dado que al cerrarse la puerta y correrse el cerrojo, quedaban prácticamente aislados del pabellón calefaccionado y con una ventilación directa al exterior. Estas estufas también eran utilizadas para calentar el agua que usaban los penados para su higiene personal. Las duchas no eran muchas y éstas estaban separadas entre sí por una pared que tapaba sólo medio cuerpo. Se encontraban en uno de los martillos arquitectónicos (pabellón 2).

La ropa era lavada en el "lavadero". Esta construcción era un galpón donde en piletones un grupo de penados designados para esa tarea lavaban la ropa del resto de la población carcelaria. El trabajo era manual y en el último tiempo se agregaron máquinas.

zambullo. Every morning they emptied the zambullos in the toilets.

Large metal bowls of 1 meter diameter where firewood was burn night and day provided heating. According to some versions there was only one at the center of each pavilion. Others say that there were at least three per pavilion, apart from the guards' stove to cook the meal. Both versions may be right depending on each particular pavilion or square (hammer). According to oral testimonies nobody remembers cold as a torment in pavilions. As Mr. Manuel Buezas used to say: "Let's remember that both the guard and the watcher lived next to the prisoner."

Of course, this heating system has no comparison with the present ones. Anyway, temperature in the prison was reasonable. During the night things were quite different as the door of the cells being locked, they were practically isolated from the heated pavilion and air came from the exterior.

These stoves were also used to heat water used by the convicts for their personal hygiene. There were a few shower separated by a wall that covered half the body. They were in one of the architectonic hammers (pavilion 2).

Clothes were washed in the laundry. This consisted of a large shed where a group of convicts washed the clothes of the rest in large basins. This was a manual work and near the closing of the prison washing machines were brought.

Terror Times

At that time, speaking about the Prison of Ushuaia was sinister for the place itself, the confinement, and the sort of criminals sent there. For the society this was a synonym of a trip with no return. For a long time it was our "Argentine Siberia". But some directors between 1931 and 1932 contributed to this fame as they made prisoners live terror times.

The prison's authorities were: Cernadas (director), Faggioli (warden) and Sampedro (under warden) and, apparently, they were responsible for the cruel punishments convicts had to undergo. Were they right or wrong, punishments were very severe and in many cases prisoners died.

Interviewed by Aníbal del Rié in 1933, Faggioli says, "Look. Why to beat about the bush. Here it's not possible to keep discipline with no club (...) so they died quicker. Anyway, they are good for nothing! (...) I am in charge now till director Cernadas comes back."

Reports start in 1932. Angel Luis Castello, a

Una época de terror

Hablar de la Cárcel de Ushuaia era algo siniestro. Tanto por el lugar como por el aislamiento a que se iba y al tipo de criminales que allí se enviaban. Para la sociedad en general era sinónimo de ida sin regreso. Fue por mucho tiempo nuestra "Siberia Argentina". Pero a esa fama contribuyó mucho la actuación de varios directivos que entre los años 1931 y 1932 se encargaron de hacerles vivir a los presos una época de terror.

Las autoridades del presidio eran: Cernadas, director; Faggioli, alcaide; y Sampedro, subalcaide y aparentemente ellos fueron los responsables de propinar a los presos tremendos castigos. Justificadas o no, las penas eran severísimas y en muchísimas oportunidades terminaron con la vida del castigado.

Entrevistado Faggioli por Aníbal del Rié, en 1933, dice: "Vea. Para qué andar con rodeos. Aquí, si no anda el garrote, no es posible mantener la disciplina (...) así se mueren más rápido, ¡para la falta que hacen!... de todos modos el que manda ahora soy yo hasta que regrese el director Cernadas".

En 1932 comienzan a aparecer varias denuncias. Una de ellas fue la hecha por un penado dejado en libertad, Ángel Luis Castello, que se dirige al juez letrado de Santa Cruz, con jurisdicción sobre Tierra del Fuego, y demuestra su denuncia mostrando las cicatrices que les dejó la paliza recibida.

Por otro lado, es nombrado médico del penal el doctor Guillermo Kelly, que también descubre los tremendos castigos a que son sometidos los reclusos. Como ejemplo, podemos citar al boxeador Sturla que luego de recibir una brutal paliza en la que le rompen cuatro muelas, se corta intencionalmente para ser llevado al hospital. El médico escribe a su amigo y colega el doctor Frank Soler: "En pleno siglo XX, en el segundo establecimiento penal de la progresista república, se han roto huesos, se han retorcido testículos, se ha castigado a los presos con tremendas cachiporras de alambre y con preferencia en las espaldas, para volverlos tuberculosos y mil salvajadas más".

Los testimonios de los antiguos pobladores recuerdan que en esa época, por lo menos una o dos veces por semana, veían pasar el carrito del presidio llevando a algunos reclusos que no pudieron resistir las palizas, al cementerio. (A. Lavado)

El doctor Kelly fue suspendido por un mes y cuando regresó debió elegir entre la enfermería del penal o la dirección de la Asistencia Pública, se quedó con esta última.

MOVIMIENTOS DE PENADOS SEGUN CONDENAS

Reclusión perpetua 70
Rec. por tiempo indeterminado 99
Reclusión por más de 5 años 128
Reclusión por hasta 5 años 3
Prisión perpetua 38
Prisión más de 5 años 142
Prisión hasta 5 años 41
Presidio temporal o perpetuo 6
Penitencia tiempo indeterminado .. 10
Arresto 1

Datos correspondientes a los 538 penados al 1º de enero de 1935.

---

prisoner released, goes to see the judge of Santa Cruz who has jurisdiction over Tierra del Fuego and shows him the scars of punishment.

Besides, doctor Guillermo Kelly is assigned to the penal and discovers the hard punishments prisoners have to undergo. Boxer Sturla is an example: he is beaten so hard that four of this tooth brake, so he hurts himself so that he is taken to hospital. Doctor Kelly welcomes his friend and colleague Frank Soler: "in the middle of the 20th century, in the second penal establishment of this progressive republic, bones have been broken, testicles have been twisted, prisoners have been punished with dreadful wire bludgeons, preferably on their backs, to turn them ill with TB and a thousand brutalities more."

Old settlers remember that at that time, at least once or twice a week, they saw the prison's small cart taking some convicts that had not been lucky to survive punishment to the cemetery (J. Lavado).

Doctor Kelly was removed for a month and, on coming back, he had to choose between the prison's infirmary and the direction of Public Assistance; he chose the latter.

But the judge of Santa Cruz had already started a thorough investigation which was headed by Chief of Police Castex. At first, prisoners were reluctant to testify and tell the truth. But they agreed to do so once they obtained guarantees.

Then, the prison's authorities began to interfere with the inquiries. Sometimes, prisoners asked to testify could not do it because "they were in the wood" or were ill or had nothing to say. So Castex and the convicts developed a system of signals through which the chief of

Pero el juez de Santa Cruz ya había iniciado una profunda investigación: el encargado de cumplirla fue el comisario Castex. Al principio, los penados se negaban a declarar y contar la verdad, pero una vez aseguradas las garantías contaban lo que estaba pasando.

Entonces, las autoridades de la cárcel comenzaron a entorpecer la investigación. A veces los penados llamados a declarar no concurrían porque "se hallaban en el monte", otras veces estaban enfermos o no tenían nada que decir. El comisario Castex y los penados idearon, entonces, un sistema de señas por las que el comisario sabría si tal o cual penado diría o no la verdad, y el lugar dónde se hallaba y al mismo tiempo no ponía en peligro a los presos: cuando el trencito que los llevaba al monte pasaba frente a la jefatura de policía, Castex, situado en la ventana que daba a la calle, miraba si el primer penado leñador llevaba la gorra al revés, esto significaba que el penado diría la verdad. Si además tenía la mano derecha en la cara, era que el penado solicitado estaba encerrado en la celda, si la izquierda que se hallaba en la enfermería. De esta manera el comisario podía, sin equivocarse, dirigirse directamente al lugar indicado.

En este período se produce también un episodio violento entre el personal policial y el de la cárcel. El diputado Aparicio —uno de los presos políticos que estuvo en el presidio— cuenta en su libro que existía, entre el gobernador, teniente de fragata retirado Juan María Gómez y el director del presidio, teniente primero retirado Adolfo Cernadas, una lucha sin cuartel.

El director Cernadas amenazaba con que, por orden de Uriburu, se haría cargo de la gobernación "y como la luz eléctrica de las calles y de las oficinas públicas se fabricaba en el presidio, en tren de guerra les limitaba las lamparitas que podían mantener prendidas en la gobernación y en la casa particular del gobernador. Este, en represalia, no lo invitaba a las recepciones que en su casa hacía a los marinos de los barcos de guerra, y en contestación aquél le cortaba la luz, hasta que uno de los jefes de la base naval, capitán de navío Luisoni, dispuso que el transporte "Patagonia" que estaba en el muelle, desprendiera dos hilos eléctricos para proveer de energía a su amigo Gómez y burlar así al jefe del presidio".

En una oportunidad el gobernador prohibió a los guardiacárceles del presidio que anduvieran con armas por la calle. Un día en que dos empleados de la cárcel no cumplieron con la reglamentación la policía los detuvo. La reacción de Cernadas, que no se hizo esperar, fue

police knew if a prisoner would tell the truth or not and the place where he was. This avoided other convicts to run any risk —when the small train took them to the wood, it run in front of the police station. Castex looked through the window —if the first prisoner woodcutter wore his cap backwards, the convict would tell the truth. This, added to the right hand on the face meant that the prisoner that had to testify was locked up in his cell. The left hand in this position meant that the convict was in the infirmary. Thus, the chief of police could go straight away to the right place.

In this period a violent episode between the police staff and the prison's employees takes place. Deputy Aparicio, one of the political prisoners of Ushuaia, writes about it in his book. He says that there was a ruthless war between the governor, the retired lieutenant of fleet Juan María Gómez, and the director of the prison, the retired lieutenant Adolfo Cernadas.

Director Cernadas threatened with overtaking the government at the order of president Uriburu: "and as the electric power for the streets and public offices was generated by the prison, (Cernadas) reduced the number of lights that could stay on in the government house and at the governor's. Then, the latter did not invite the director to the meetings welcoming navy sailors who answered by producing a blackout. This situation went on till one of the chiefs of the naval base, captain Luisoni, orde-

formar la tropa de guardianes de cárcel (aproximadamente sesenta) y marchar en pie de guerra hacia la jefatura de policía al mando del oficial Kammerath. Cuando llegaron al edificio se desplegaron estratégicamente y un oficial de apellido Martínez llevó el ultimátum: "si dentro de cinco minutos no estaban libres los apresados, se ordenaría el asalto para liberarlos 'manu militari', de facto".

Inesperadamente no hubo resistencia por parte de la policía y los guardianes fueron liberados en senguida. Así terminó este episodio que el diputado Aparicio llama "revolución en Ushuaia".

Volviendo a la investigación y proceso judicial que se siguió, el 13 de septiembre de 1934, la sentencia condenatoria producida en primera instancia en abril de 1933 por el juzgado letrado de Santa Cruz contra el ex alcaide, subalcaide y 19 guardianes del presidio de Ushuaia, acusados de infligir malos tratos y tormentos a los penados. Al subalcaide Sampedro se lo condenó a tres años y medio de prisión, accesorias legales y costas e inhabilitación por doble tiempo; al alcaide Faggioli, dos años y dieciocho meses y a los diecinueve guardianes restantes a condenas que oscilaban entre dos años y un año y meses. En cuanto al director Cernadas se le inició un sumario por separado pero continuó como director hasta junio de 1934 cuando renunció, sin que el gobierno le exigiera demostrar su incidencia. Si bien fue acusado y mucha gente habla de "la época de Cernadas" o de "Cernadas el torturador" lo cierto es que continuó su carrera sin mayores problemas y son muchos los testimonios de antiguos pobladores que hablan muy bien de él.

Es importante destacar la actuación de la policía local que en varios casos policías de la ciudad de Ushuaia tuvieron que arrestar a hermanos, tíos y primos que trabajaban como guardianes o guardiacárceles. También vale la pena destacar cómo es que fueron detenidos más guardianes que guardiacárceles. Sucede que el guardián mantiene una relación con el condenado muy cercana. El está adentro del presidio junto con los presos. No así el guardiacárcel que armado siempre debe mantener una prudencial distancia de 10 a 20 metros de los reclusos.

Ese mismo año, 1934, llegan a Ushuaia destacadas figuras del radicalismo, son presos políticos: Marcelo T. de Alvear, Adolfo Güemes, Ricardo Rojas, Mario M.Guido, José Luis Cantilo, Juan O'Farrell, Enrique M. Mosca. Es frente a algunos de ellos que el mismo día en que Cernadas abandonaba el territorio, un preso que pasaba en el trencito de regreso del

red the "Patagonia" transport, anchored in the pier, to provide his friend Gómez with electricity and thus eluding the chief of the prison." (Extract from Aparicio's work)

On one occasion, the governor forbid the prison's warders to walk in the streets armed. One day, two of the prison's employees did not respect this rule and the police arrested them. Cernadas immediately gathered a troop of warders —about sixty— and marched to the police station —which was in charge of officer Kammerath. When they got to the building, they took strategic positions and official by the surname of Martínez uttered an ultimatum: "if prisoners were not released within five minutes an assault would be ordered to set them free 'manu militari'."

Unexpectedly, the police did not resist and warders were immediately set free. This is how this episode that deputy Aparicio calls "revolution in Ushuaia" ended.

The investigation and trial of September 13th 1934, as well as the court of the first instance (Santa Cruz) in April 1933, found the ex warden, under warden and 19 warders of the prison of Ushuaia guilty of inflicting punishing and torments on convicts. Under warden Sampedro was sentenced to three years and a half with cumulative penalties and fees, and debarment for double the time; warden Faggioli to two years and eighteen months; and the nineteen warders were sentenced to one or two years. Director Cernadas was indicted but he stayed in his post till June 1934 when he resigned. The government never compelled him to make his participation clear. Although he was accused of being guilty and many people speaks about "Cernadas' times" or "Cernadas, the torturer", the truth remains that his career went on with no difficulties and many old settlers regard him as a good person.

It is important to highlight the action of the policemen of Uhsuaia that in some cases had to arrest their brothers, uncles or cousins who worked as guards or warders. It is also worth saying why there were more guards than warders arrested. Guards lived very close to convicts inside the prison. The armed warder, on the contrary, was always about 10 to 20 meters away from the prisoners.

During that same year, 1934, important personalities of the Radical Party arrived in Ushuaia as political prisoners — Marcelo T. de Alvear, Adolfo Güemes, Ricardo Rojas, Mario M. Guido, José Luis Cantilo, Juan O'Farrell, Enrique M. Mosca. They witnessed how a prisoner, Antonio Errecart (convict n° 188), back from Monte Susana threw himself from the

Monte Susana, se arroja desde el vagón, es Antonio Errecart, penado Nº 188, denuncia a los gritos una tremenda paliza que le habían dado en el monte. Los otros penados también gritan: es el momento de aprovechar la presencia de los políticos influyentes y el cambio de director para lograr una humanización en el trato. Este fue uno de los episodios con más peso para encarar la reforma que se produjo en 1936.

Procedimientos de las torturas y algunas anécdotas

Los elementos con que se golpeaba a los reclusos eran pesadas cachiporras de hierro o con cables de acero trenzados y rematados por una bola de plomo de medio kilo de peso según consta en las declaraciones ante el juzgado y por los elementos secuestrados.

El castigo de la cachiporra se aplicaba por faltas como hablar en fila, estar cansado, contestar a un guardián sin haber sido interrogado, llegar tarde a la formación y demás situaciones poco graves. Cuatro guardianes se encargaban de sujetarlo de brazos y piernas tumbado en el piso mientras el verdugo le propinaba fuertes cachiporrazos en la espalda y el tórax. Una vez desmayado era depositado en su celda donde se tenía que recuperar sin asistencia médica.

Existieron variantes como los cachiporrazos en brazos y piernas al que le agregaban ayunos de dos o tres días para debilitarlos aún mas. Es así como los ya débiles reclusos decaían aún más y muchos de ellos fueron directamente al cementerio.

Entre otras torturas estaba la psicológica. Se les hizo creer que dada la impunidad con que actuaban los torturadores, las faltas graves serían castigadas con un inmediato fusilamiento. Para eso tenían a la vista de todos un ataúd preparado para el primero que fuese fusilado.

Estas palizas ocurrían durante la noche, cuando el presidio entraba en un gris y triste silencio. Comenzaban a escucharse súplicas o simplemente gritos de dolor que aterrorizaban a toda la población penal.

Según cuenta Manuel Ramírez en la "Ergástula del Sud":

"El preso era sacado de su celda a medianoche y se le obligaba a desfilar entre dos hileras compactas de guardianes armados con cachiporras y palos; cada uno iba descargando furiosos golpes contra las espaldas del infeliz, este se deshacía a gritos y llantos... hasta que caía sin sentido. Una vez en el suelo se le arrastraba hasta el calabozo, generalmente mojado.

small train claiming that he had been punished. That same day Cernadas left the territory. Other convicts also shouted their truth —it was their opportunity to caught influential politician's attention to claim for better conditions. This was one of the episodes that hastened the reform of 1936.

Torture Procedures and Some Anecdotes

Convicts were beaten with heavy iron bludgeons or with braid steel cables with a lead ball weighing half a kilo at one end. This, according to reports and the elements sequestered.

The bludgeon was used when prisoners spoke in their line or were tired or answered back to some guard or were late to their formation. Four guards took the prisoner by his arms and legs and kept him on the floor while the executioner gave the convict hard blows with a bludgeon on his back and thorax. Once the prisoner lost his consciousness, he was left in his cell without medical assistance.

There were variants: bludgeon blows on arms and legs added to two or three days fast to make the prisoner even more weak. So frail convicts got worse and many of them went straight to the cemetery.

There were also psychological torments. Prisoners were told that serious faults would be immediately punished by shooting. For this purpose, there was always a visible coffin ready for the first executed.

This punishments took place during the night, when the prison was in a gray and sad silence. Then, pain shouts or supplications were heard and the whole prison's population was terrified.

Manuel Ramírez tells in his "Ergástula del Sur" (Southern Ergastulum): "The prisoner was taken out of his cell at midnight and forced to march between two tight lines of guards armed with bludgeons and sticks; every one beaten furiously the wretched on his back who shouted and cried... till he lost his consciousness. Once on the floor, he was pulled to the dungeon, usually soaked through.

When the prisoner resisted the beating without losing his consciousness, he was undressed and thrown outside in the snow for an hour. Except they preferred giving him a cold water bath.

Guards used to organize macabre races to entertain themselves. They run after one or two convicts along the pavilion beating them with whips so prisoners were forced to run at a high speed. They stumbled or their legs failed and

Cuando el preso resistía la paliza sin desmayarse, para rematarlo del todo lo desnudaban, arrojándolo a la nieve en la intemperie una hora, salvo que prefirieran darle un baño de agua helada.

A menudo los guardianes, para distraer su ocio, organizaban carreras macabras. En un extremo del pabellón colocaban uno o dos presos y persiguiéndolos a golpes, con látigos, los hacían desarrollar velocidades fantásticas. Los presos tropezaban o sus piernas cedían, rodando por el suelo, estrellándose contra las paredes, pisoteando el uno al otro, en medio de estrepitosas carcajadas y aullidos de los carceleros, que festejaban tales ocurrencias."

En los testimonios recogidos de antiguos pobladores, los que eran niños en aquella época, recuerdan como afectó esta situación a la familia. En el caso de Josefina A. Estabillo su padre decidió renunciar a su trabajo en la cárcel por desavenencias con la dirección y regresó, junto a su familia, a España de donde eran oriundos. Regresa nuevamente a Ushuaia con su madre y hermanos luego de la muerte de su padre en 1942.

Si bien esos años de terror existieron, esa no era una constante. Pero tuvo suficiente repercusión a nivel nacional e internacional como para presentar al presidio con una aureola trágica: al que envían a Ushuaia, no regresa.

Ex penados

Eran conocidos con este nombre los hombres que, una vez cumplida su condena, quedaban por poco o por mucho tiempo en el pueblo. "Llegaron a ser parte integrante de su vida y le daban un tono especial. En general eran apreciados y bien considerados, pues eran gente pacífica y trabajadora. Por supuesto hubo algunas excepciones. Debe considerarse que eran solitarios, desarraigados, por mucho que el ambiente los entendía y aceptaba. Por eso se reunían en lugares bien determinados, del mismo modo, sobre todo en ciertas épocas, compartían algunos alojamientos, comúnmente en medio de gran desorden y promiscuidad." (Arnaldo Canclini).

Cuando cumplían la condena eran puestos en libertad a la hora exacta que indicaba el legajo. Se les entregaba un traje de calle, sus ahorros, y lentamente se dirigían al poblado planeando su futuro. Tenían tiempo de sobra: debían esperar el buque que los llevaría al continente. De esta forma no pasaban desapercibidos para el resto de la población.

Siempre pensando en estos seres humanos que recobraban la libertad en un lugar en el

fell on the floor. They crashed into the walls or trod on one another amidst guards' deafening guffaws and wails celebrating such ideas."

Old settlers who were children at that time recall how his situation affected their families. Josefina Estabillo's father decided to resign as a prison employee because of some disagreements with the direction and went back to his natal Spain with his family. She came back to Ushuaia with her mother and siblings after her father's death in 1942.

This terror years existed, but punishments were not constant. Anyway, this situation had a repercussion at national and international levels so the prison had a tragic halo: those sent to Ushuaia never return.

Ex-convicts

Prisoners who stayed in Ushuaia for a short or long time after serving their sentences were known as ex-convicts. "They were part of life here and gave the place a special touch. In general, they were esteemed and treated with respect as they were pacific and hard working people. Of course, there were exceptions. You have to bear in mind that they were lonely and uprooted, no matter how well accepted and understood were. For this reason they met in certain places and sometimes shared their lodging, usually in great disorder and promiscuity." (Arnaldo Canclini)

Once they served their sentences they were released at the exact time set by their personal file. They were given a suit, their savings, and they walked slowly to the town planning their future. They had plenty of time —they had to wait for the ship that would take them to the continent. They were unnoticed by the rest of the inhabitants.

Considering these human beings released in a place where there was little to do, there were to attempts of creating a sort of institution for the freed. The first one was promoted by Catello Muratgia, the founder of the penal. The second was encouraged by governor Molina and his wife, but it was open for just a year (from 1923 to 1924) —they asked for free fares for the released, etc.

Sometimes ships took months in arriving, so everybody wanted to travel on them. Ex convicts could not stay in the prison and on many opportunities they were lodged in the police station, but there were restrictions —for example, they could not go out in the evenings.

In the prison's history there were two critical moments —first during Yrigoyen's presidency and the second fifteen years after, during Gene-

cual poco podían hacer existieron dos intentos de crear una especie de patronato de liberados. El primero fue iniciativa de Catello Muratgia, el fundador del penal. El segundo fue un intento del gobernador Molina y estuvo presidido por su esposa, pero sólo duró un año, entre 1923 y 1924: se ocupaban de pedir pasajes gratis para los liberados, entre otras funciones.

A veces los barcos tardaban meses en llegar y cuando lo hacían todos querían viajar en él. Los ex penados no podían quedar dentro de la cárcel, entonces, muchas veces fueron alojados en la policía, con restricciones para sus movimientos, por ejemplo no podían salir de noche.

En la historia del presidio existieron dos momentos en que la situación se hizo delicada. El primero fue cuando durante la presidencia de Irigoyen y el segundo 15 años después, durante el mandato del General Perón. Ambos otorgaron sendos indultos masivos. En el primero, de 1930, salieron en libertad 110 presos. No era de extrañar, entonces, que la situación social se pusiera tensa, ya que la población permanente era apenas diez veces mayor. Los hombres recorrían la ciudad pidiendo un trabajo, o comida que la población, siempre hospitalaria, no les negaba. Hubo, en estas épocas, casos de ebriedad, peleas y disturbios.

A pesar de que la inmensa mayoría prefería volver al "norte", como llaman ellos al resto del país, hubo algunos liberados que decidieron quedarse y convivieron sin ningún problema entre los antiguos pobladores, salvo una excepción, la de Luis Pisani. Por una cuestión de polleras, esperó en la calle a un vecino y lo atacó a tiros, el 15 de enero de 1930, diez días después el señor agredido murió. Pisani volvió al presidio y cuando fue nuevamente liberado, se quedó hasta su muerte en Ushuaia.

Un ex penado muy querido y recordado por el pueblo es José Fernández Fernández un enfermero español. Había actuado como tal entre sus compañeros de cárcel y siguió haciéndolo en el pueblo cuando fue liberado, también trabajó un tiempo como empleado en lo de Salomón.

Otros ex penados que vivieron después de terminada su condena en Ushuaia fueron: Francisco Abate, "Franchisquelo". Los padres de familia asustaban a los niños con él porque tenía larga barba, ropas raídas, era sucio y malhumorado. Antonio Insúa, es un personaje contradictorio: algunos dicen que era hosco, otros que participaba en la vida de la ciudad. La señora Josefina Angel lo recuerda con cariño: fue su padrino. Francisco Scarfó, Francisco Caruso, fanático de River Plate, tenía un carrito con el que transportaba mercaderías desde

ral Perón's term. Both declared a general pardon. The first one, in 1930, released 110 prisoners. Therefore, the social situation became tense as the regular population was just ten times that number. The freed men walked about the town trying to get a job or asking for food that the hospitable inhabitants always provided. In these times there were cases of inebriation, fights and disturbances.

Even when most of them preferred to go back to the "north", as they referred to the rest of the country, some decided to stay and cohabited with no problems. There was an exception — Luis Pisani. On January 15 1930, he waited for a neighbor and shot him because of an affair related to a woman. The wounded man died ten days later so Pisani went back to the prison till he was released for the second time and stayed to live in Ushuaia for good.

The Spanish nurse José Fernández Fernández was an ex-convict the people were very fond of. He had worked in the prison and went on doing his job in town once released. He also worked at Salomón's.

Other ex-convicts stayed in Ushuaia. Francisco Abate, "Franchisquelo" (parents used to threaten their children with him as he was long bearded, wore worn out clothes, and was dirty and bad-tempered). Antonio Insúa was a contradictory character —some say he was unsociable; others, he was sociable. Mrs. Josefina Angel remembers him with love: he was her godfather. Francisco Scarfó, Francisco Caruso, a River Plate (soccer team) fan, had a small cart on which he transported goods from the pier; he also worked as a dustman. Miguel Ballona. Ricardo Gianetti worked for the parish's printing shop and was operator of the Penna cinema. José Vila. Griseldo worked for the police and was a gendarme. Francisco Fiumara, Sebastián Falcone. Eugenio Springer worked in the prison's atelier and when released he painted many simple aquarelles that many settlers kept with affection.

A Warder's Testimony about the Prison's Operation during Its Last Years

Juan Bernales
Born in Punta Arenas, he arrived in Ushuaia with his family as a boy in 1923. His father worked as a warder at the prison. In March of 1940 he started to work as warder for practically three years.

"A warder had to watch over the prisoners for them not to escape with a Mauser of fifty shots. Guards stayed with the convicts. They had no weapons and they were checked for them. Not even a pin they could carry. When prisoners

el muelle, también recolectaba basura; Miguel Ballona; Ricardo Gianetti, que trabajó en la imprenta de la parroquia y fue operador en el cine de Penna. José Vila; Griseldo Colares, fue empleado de la policía y gendarme. Francisco Fiumara; Sebastián Falcone; Eugenio Springer, que trabajó en el taller de pintura de la cárcel, al salir pintó muchas sencillas acuarelas que muchos pobladores guardaron con cariño.

Relato de un Guardia cárcel del funcionamiento en los últimos años

Juan Bernales

Nacido en Punta Arenas, llega a Ushuaia con su familia en 1923, siendo niño. Su padre trabajó en el presidio como guardiacárcel. En marzo de 1940 entró como guardiacárcel y trabajó durante casi tres años.

"El guardiacárcel tenía como misión cuidar, con un máuser con 50 tiros de guerra, se vigilaba que los presos no se escapasen. Los guardias eran los que estaban junto con los presos, entre ellos, los guardias no tenían armas, cuando entraban a tomar el servicio los palpaban, no podían llevar ni un alfiler. Cuando salían a hacer los trabajos eran acompañados por los guardiacárceles, mientras trabajaban se les hacía el cordón de vigilancia, los rodeaban a 15 o 20 metros. Los guardiacárceles que iban al monte eran los acomodados, entre ellos los llamaban orejeros, entraban a las siete de la mañana y a las cinco de la tarde ya estaban en la casa, mientras que los que no salían a los trabajos entraban a las 7 de la mañana y salían al otro día a las 10 de la mañana, o sea más de 24 horas, al otro día volvían a entrar a las 7 de la mañana; y no había sábado ni domingo. Había otros a los que se los llamaba disponibles, eran siete u ocho, tenían el mismo horario que los que salían, quedaban dentro de la guardia de prevención para cubrir una guardia o a veces llevaban a dos o tres presos al trabajo de la quinta del presidio. Había dos cordones de centinelas: el de día abarcaba todo y cuando se recluían, después de las cinco de la tarde, se formaba un cordón más cerca de los pabellones. Se hacía al aire libre, en invierno era muy bravo, entre 10 y 18 grados bajo cero, teníamos una garita, pero allí no se podía estar porque al quedarse inmóvil era peor, así que caminaban de un lado para el otro. El equipo: guerrera, pantalón, capot era grueso, abrigado, pero en la madrugadas no alcanzaba. En los pies usábamos botines con polainas de cuero, es decir que usábamos dos zapatos, prácticamente. Tenían seis retenes, donde cabían ocho: tenían dos

went out to work, warders accompanied them. They were surrounded about 15 to 20 meters away. Warders that went to the wood were the favored, they called themselves bootlickers. They started working at seven in the morning and by five in the afternoon were back at home. The others started at seven in the morning and stopped at 10 a.m. the following day, more than 24 hours. And then again at 7 a.m. and there was no Saturday or Sunday. There were others called "on call", they were seven or eight, that had the same timetable than the ones that went out. They stayed to replace some guard or took two or three prisoners to work in the prison's orchard. There were two lines of sentries — there was one surrounding everything, and after five in the afternoon when activities stopped, another line was formed nearer pavilions. All this was in the open-air; it was hard in winter when temperature was between 10 and 18°c bellow. We had a sentry box, but we could not stay there because it was worse to be quiet. So we walked about. The equipment: jacket, trousers, cape, was thick and warm but it was not enough at daybreak. We wore booties with leather gaiters on the feet, so we practically used two pairs of shoes. There were three reserves for eight warders each: they had two hours' reserve guard, two hours' as sentry with a weapon. When relieved, they went to the reserve for a four-hour rest. But they did not undress in case something happened unexpectedly."

The Most Famous Prisoners

Herns, *alias "the quarterer" or "the handsaw": He murdered his partner, quartered him and throw his mortal remains to Palermo lake. The crime was discovered when, soon afterwards, the victim's thorax appeared floating in the lake. Herns regretted not having studied medicine: Had he known that lungs would float, he would have been more careful and the crime would have never revealed. He took things easy as he was sentenced to life imprisonment. As trees, he was of the opinion that everything is determined by fate so he never thought of escaping —he knew it was virtually impossible. Ironically, he worked as a butcher in the prison —he quartered heads of cattle with astonishing accuracy and speed.*

The Bonelli Brothers: *They owned a money exchange office in Rosario and murdered their rich clients and hide them in the basement. The younger was sentenced to life imprisonment, his brother to indefinite time. After fifteen years he could ask for a date to be fixed. They were in charge of the maintenance of the*

horas de imaginaria, dos horas de centinela con el arma, los relevaban y descansaban en el retén cuatro horas, pero sin sacarse la ropa, por si algo inesperado sucedía."

Los presos más famosos

Herns, "el descuartizador" o "el serruchito": asesinó a su socio, lo descuartizó y arrojó sus restos al lago de Palermo. El crimen se descubrió cuando poco tiempo después apareció flotando en el lago la caja torácica de la víctima. Lamentaba no haber estudiado medicina: así hubiera sabido que los pulmones iban a flotar. Así, hubiera tomado recaudos y el crimen nunca se hubiera descubierto. También tuvo reclusión perpetua, por eso se tomaba todo con tranquilidad: pensaba como los árabes que todo está escrito y ni se le cruzaba por la cabeza la idea de fugarse. Sabía que es prácticamente imposible. Irónicamente, en el presidio trabajaba como carnicero: descuartizaba la reses con una precisión y una rapidez asombrosas.

Los hermanos Bonelli: eran dueños de una casa de cambio en Rosario. Asesinaban a los clientes ricos que iban al negocio y los escondían en el sótano. Al menor lo condenaron a reclusión perpetua, al otro a tiempo indeterminado. Después de quince años podía pedir que se le fijara la pena. Estuvieron encargados de mantener la máquina a vapor del trencito.

Sacomano: asesinó a una mujer, creyéndola una prostituta, para robarle el dinero. Pero la víctima, de apellido Salas, era una telefonista que salía de su trabajo a la madrugada y que con su sueldo mantenía el hogar. Sacomano fue condenado a reclusión perpetua. Estaba destinado a los trabajos más duros, entre ellos hacer volar con dinamita rocas de la cantera que se hallaba detrás de la cárcel, cargar los pedazos y transportarlos al penal. Cobraba por ese trabajo 70 centavos por día. Como seguía siendo un delincuente muy peligroso, tenía continuamente a sus espaldas a dos guardianes y un guardiacárcel armado.

"El Mejicano" o **"Patón"**: era el penado número 295. Se trataba de "Vicente Gianatempo", o "Claudio Cerdeira o Nogeyra o Erasmo Fabeile". De origen mejicano, de 31 años de edad, soltero, comerciante, ingresó a este presidio el 19 de abril de 1919. Fue condenado en la provincia de Tucumán a 25 años de presidio por los delitos de homicidio, lesiones y atentado con armas a la autoridad. En su sentencia consta una fuga de la cárcel de Tucumán y la simulación de ser demente.

Siempre demostró estar contra toda disciplina y un permanente odio hacia la policía y los

small train steam engine.

Sacomano*: He killed a woman to steal her money because he mistook her for a prostitute. But the victim, by the surname of Salas, was a telephonist that left her work at daybreak and supported her home with her salary. He was sentenced to life imprisonment.*

He was in charge of the hardest works —he dynamited the rocks of the quarry at the back of the prison and carried the pieces to take them to the penal. His pay was 70 cents a day. As he still was a dangerous criminal, he was accompanied by two armed warders and a guard all the time.

"The Mexican" *or* ***"Big-footed"****: He was convict n° 295, alias "Vicente Gianatempo, or Claudio Cerdeira or Nogeyra or Erasmo Fabeile". He was a single 31 year-old trader from Mexico that entered the prison on April 19 1919. He had been sentenced in the province of Tucumán to 25 years imprisonment charged with homicide, injuries and aggression against the authority. In his sentence it can be read that he escaped from a prison in Tucumán and that he pretended to be insane.*

He was always against discipline and showed his hate for the police and jailers. He always headed internal mutinies attacking or provoking the establishment's employees. His guards approached taking every caution as if he were a beast.

And as such he lived in his dark cell, lying on the floor almost naked. It is said that they left his meal which he spread on the floor and ate out of it. Apparently, he became completely mad as towards the end of his life he spoke to anyone and just glanced menacingly at his sentries and growled fiercely. He died in 1932.

Ladrón de Guevara*: He was proved guilty of the murder of his wife and children. Osiris Troiani, a journalist from Crítica, said Guevara had forgotten everything and was devoted to pray. Religion made him good and when asked about his family, said Troiani, he "stares with strangeness and asks: What is this foreigner talking about? Doesn't he know that all that belongs to another life, a former life, a dead life?*

Juan Dufour *was a famous international swindler. There was no prison that could hold him. He had escaped even from Devil's Island. Here, in Buenos Aires, he seized the gun of a guard of the National Penitentiary and quickly reached the streets. He also organized the last escape in Ushuaia.*

One night, Dufour, Berg and García —that pretended to be ill in hospital— slipped out of the infirmary. The three of them were slim. They undressed, applied vaseline on their bo-

carceleros. Participó en todas las revueltas internas como cabecilla y siempre agrediendo o provocando a los empleados del establecimiento. Sus guardianes se acercaban con las precauciones con las que se lo hace a una fiera.

Perpetuamente recluido a celda oscura, vivía como una fiera: tirado en el suelo, despojado casi de todas sus ropas. En las comidas se le pasaba el plato que tiraba al piso y, según cuentan, comía del piso. Aparentemente llegó a la total locura dado que en los últimos tiempos no hablaba con nadie y se limitaba a lanzar miradas amenazantes a sus celadores y proferir gruñidos feroces. Murió en 1932.

Ladrón de Guevara: condenado por el asesinato de su esposa e hijos, dice el periodista de Crítica, Osiris Troiani, que ha olvidado y se dedica a la oración. Dice que la religión le ha hecho bien y cuando se le pregunta sobre su familia Ladrón de Guevara "mira con extrañeza y pregunta ¿de qué habla ese forastero?, ¿no sabe que todo aquello es cosa de otra vida, de una vida pasada, de una vida muerta?

Juan Dufour es un famoso estafador internacional. No hay presidio que lo retenga. Ha escapado hasta de la Isla del Diablo. Aquí, en Buenos Aires, arrebató la pistola a un guardián de la Penitenciaría Nacional y ganó rápidamente la calle. Además él organizó la última fuga de Ushuaia.

Una noche Dufour, Berg y García, que se habían hecho hospitalizar previamente, se deslizaron fuera de la enfermería. Los tres eran muy delgados. Se desnudaron, untaron sus cuerpos con vaselina, y pasaron por entre las rejas. Sus compañeros les devolvieron sus ropas desde la ventana. Los tres fugitivos corrieron al monte. Un guardia los vio e hizo un disparo. Dufour fue herido en una pierna. Se refugiaron en un aserradero que había sido clausurado: seis días estuvieron allí. Uno de ellos salió y trajo una gallina. Trataban de calafatear una canoa que habían descubierto. Pero finalmente fueron aprendidos.

Dufour está aún en el hospital. Anda con muletas. Bajo sus anteojos negros brillan diabólicamente dos ojillos astutos, irónicos, malignos. Está viejo, sin fuerzas, inválido, pero repite tranquilamente: "Yo no moriré en la cárcel".

Eduardo Sturla: fue un peso pesado de porvenir seguro ¿quién lo ha olvidado? Pero una frágil muchacha lo venció.

Era casado y feliz. Tenía un hijo pequeño. Trabajaba. Vivía en una linda casita de barrio, en esa misma casa vivía su cuñada, de catorce años. Durante algunos meses fueron amantes, pero luego aparece un pretendiente y ella quie-

LADRON de Guevara parece haber olvidado por completo los trágicos acontecimientos que pusieron término a su vida anterior, vida honesta, ordenada y familiar.

dies, and passed through the bars. Their mates gave them their clothes back from the window. The three fugitives went to the wood. One of the warders saw them and shot. Dufour was wounded in one leg. They found shelter in a closed sawmill and stayed there for six days. One of them went out and brought a hen. They were trying to caulker a canoe they had found. Eventually they were caught.

Dufour is still in hospital. He walks with crutches. Under his black glasses his evil, ironic, cunning small eyes shine diabolically. His is old, crippled, weak, but still repeats calmly: "I won't die in the prison."

***Eduardo Sturla** was a heavy weight with a safe future. Who could forget him? But a frail girl defeated him.*

He was happily married with a young son. He worked and lived in a nice house where also lived his 14 year-old sister-in-law. They were lovers for a couple of months. But when a new suitor appeared she wanted to put and end to their relationship. Sturla did not agree and implored and threatened her. The girl run away and went for her mother and boyfriend and the three went to the police to report Sturla. They went out at midday and suddenly, a shot. The girl collapsed wounded in her back.

Sturla told a reporter: "Not killing her would've been ruin of me. It would've proved that I had only looked for an ephemeral pleasure. I killed her because I really loved her, because I was going to lose her and needed her. Y

re poner punto final a aquella relación. El se niega. Suplica. Amenaza. Ella huye de la casa, va en busca de su madre y de su novio y los tres concurren a la policía para denunciar a Sturla. Cuando salen es el mediodía, de pronto un balazo. La muchacha se desploma herida por la espalda.

Le dice al periodista: "Si no la mataba hubiera sido una ruindad. Era la prueba de que sólo había buscado en ella un placer efímero. La maté porque la quería de verdad, porque la perdía y sin embargo la necesitaba. La necesitaba para toda la vida.Era mi verdadera esposa...".

Manuel Campos: se mantiene joven y orgulloso. En sus ojos de acero se mantiene una serena expresión de desprecio. Está en la cárcel desde 1933. Tiene 38 años y sufre condena a reclusión perpetua.

-¿Cómo declaró usted?
- Que yo lo maté.
- ¿Sin atenuantes?
- Único autor y no hubo robo.
- ¿Ansía la libertad?
- Como un pájaro.
- ¿Ninguna tentativa de fuga?
- Sería una locura.

En el archivo de Ushuaia figura con esta anotación: "conducta ejemplar".

Este hombre, todavía joven, que no se lamenta de su suerte, es el matador de Alzaga Unzué.

Existía una categoría de presos que se los llamó "los mafiosos". Entre ellos estaba Juan Vinti. Según escribe el periodista del diario Crítica: "tiene en la cárcel una fama peor que fuera de ella. Sus compañeros le reprochan sus deslealtades y cobardías, las modalidades untuosas de su trato con los superiores (...) Maldice pintorescamente en su media lengua:

- ¡Porco diavolo!

"Luego comienza a hablar aturdidamente, sin medida, entre salivazos e improperios ora rabioso, ora sonriente un disparate tras una ocurrencia graciosa y una fulminante palmada en la cabeza después de una carcajada:

-Tengo 46 años, soy fuerte, sano, tengo experiencia en la vida y nada, no puedo hacer nada entre estas paredes. Tengo un plan, un proyecto industrial. Volaríamos más alto que un globo." Su idea era fabricar una ricota que durara 10 días. Aspiraba envejecer como un capitán de la industria, el rey de la ricota.

Luis Corrado: llegó de Italia pobre. No conocía a nadie en Buenos Aires excepto a Galiffi. Lo fue a ver y lo encontró rico. Inmediatamente le pidió trabajo y terminó el día como chofer de su auto particular.

needed her for the rest of my life. She was my wife..."

Manuel Campos was still young and proud at that time. In his steel eyes, he kept the calm expression of scorn. He had been in the prison since 1933. He was 38 years old and was serving a life imprisonment sentence.

- *What did you testify?*
- *I said I killed him.*
- *No attenuation?*
- *I'm the only perpetrator and there was no robbery.*
- *Do you long for freedom?*
- *As a bird would do.*
- *Have you tried to escape?*
- *That would be an absurdity.*

In the files of Ushuaia there is a note about him —"model behavior".

This man, still young, who did not regret his luck was the killer of Alzaga Unzué.

There was a category of prisoners called "the mafiosi". Juan Vinti was one of them. According to the reporter from Crítica: "inside the prison he has a worse fame. His mates reproach him for his coward and disloyal acts and the greasy ways of addressing the superior (...) He curses picturesquely in his gabbler:

- *Porco diavolo!*

And then he starts speaking confusedly, never ending, among spits and insults, now furious, now smiling a foolish remark after a funny witty remark and a fulminating slap on the head after an outburst of laughter:

- *I'm 46, I'm strong, healthy, I'm an experienced man and I can do nothing inside this walls. I have a plan, and industrial project. We could fly higher than a balloon." He had the idea of preparing a kind of ricotta that could last ten days. He wanted to grow old as a successful businessman, the king of ricotta.*

Luis Corrado came from Italia as a poor man. He had no acquaintances in Buenos Aires, except for Galiffi. Luis went to see him and found out that he was rich, so he asked Galiffi for a job and became his chauffeur.

"- I realized that there were too many people coming in an out his house. But I thought It was because of his race horses or his wine cellars in Mendoza. I didn't know he was a criminal. We were of the same region. My family and his were close. We used to play together." Except for the chauffeur, all the accused were set free.

The Di Grado brothers claimed that they had never heard about the "maffia". They testified that Vinti left Ayerza's corpse in their small

"-Yo veía mucho movimiento en la casa. Pero qué se yo, sería por sus caballos de carrera, sus bodegas mendocinas. No sabía que era un delincuente. Éramos paisanos. Mi familia y la suya se conocían mucho. Jugábamos juntos." Todos los inculpados en el caso salieron en libertad, salvo el chofer.

Los hermanos Di Grado afirman aún que nunca habían oído hablar de la 'mafia'. Su declaración es que Vinti les dejó el cadáver de Ayerza en su chacra de Corral de Bustos y ellos, atemorizados, no tuvieron más remedio que acceder.

Vicente ha cumplido 61 años. Pablo tiene 56. Son muy unidos. El menor cuida del más anciano y pide a los demás tolerancia por sus frecuentes extravíos mentales.

Según Martín Chaves los mafiosos actúan fuera de la cárcel en bandas secretas, juramentados, con pena de muerte no sólo para los desertores sino también para los cobardes. En cambio dentro del presidio son pobres seres que tratan de cumplir lo mejor posible los reglamentos para "andar bien", cada uno por su lado, sin importarles de sus compañeros, llegando a ser delatores. Usan escapularios y guardan estampas de santos en todos los bolsillos que besan y ponen de testigos en los engaños más ruines.

Gaudioso Soto: estafador. Este tipo de preso tan común hoy en día era para aquellos tiempos toda una rareza.

Dice Soto: "Aquí, entre las sombras, sufro la más extraña y absurda de las angustias humanas. ¿Quiere usted creerlo? Sufro por el bien que no se me deja hacer, no se me permite devolver a la sociedad lo que he aprendido en mi larga incursión por el delito (...) La estafa me interesaba por la posibilidad de aplicar mi agudeza. Cuando la había terminado me parecía una obra perfecta, como una escultura o una buena partida de ajedrez. Si he matado, he matado por amistad y por amor. Toda otra forma de delito me parece vulgar (...) Escribí una crítica de nuestra legislación penal y se me castigó con un año de encierro. Lo que quiero es hacer útil mi vida tenebrosa (...) Cuando yo recorría la campaña y ofrecía a los colonos los servicios de una compañía de seguros que se comprometía a evitar que fueran desalojados, lo único anormal era que tal compañía no existía, es decir, que yo iniciaba un negocio sin tener el dinero necesario. Pero el negocio era bueno.

La idea de proteger al colono era buena y generosa. Desde entonces la iniciativa privada y oficial han aplicado mi iniciativa. Quiero hacer el bien, eso es todo...".

farm in Corral de Bustos and, frightened, they had no choice and agreed.

Vicente was 61 and Pablo 56. They were very close. The younger looked after the elder and asked the other prisoners to be tolerant with Vicente's usual mental lapses.

According to reporter Martín Chávez the mafiosi worked outside the prison in secret gangs, under oath. They imposed the death penalty both on deserters and cowards. But inside the prison they were just poor beings who tried to respect the rules so that they had no problems. They lived on their own, not caring about mates, being even telltales. They wore scapulars and kept saints' prints in their pockets which they kissed and used as witnesses of the most ruin frauds.

Gaudioso Soto: Swindler. This sort of prisoner, so common nowadays, was rare at that times.

Said Soto: "Here, in the shadows, I suffer the most strange and absurd of the human afflictions. Would you believe it? I suffer because of the good I am prevented to do; I can't give the society back what I've learnt during my long criminal career... I was interested in swindle because of the possibility of using my sharpness. Once finished, it appeared to me as a perfect work of art, as a sculpture or a good chess match. If I killed, I did it in the name of friendship or love. Any other type of offense I consider vulgar... I wrote a critical opinion about our penal law and I was punished with a year of confinement. I want to make something useful out of my dark life... When I traveled all over the countryside and offered settlers the services of an insurance company to avoid them to be dislodged, the only irregular thing was that the company did not exist. This means that I started the business without the necessary money. But the business was good. The idea of protecting settlers was good and generous. From then on, private and official enterprises have followed my idea. All I want is to do good, that's it..."

Hierarchy among Prisoners

Based on the type of offense committed, prisoners divided themselves into categories. Those charged with homicide considered themselves superior and had no contact with ordinary thieves.

Thieves were also divided into classes — blackmailers, falsifiers, and refined thieves had no contact with "petty thieves".

But murderers were also divided into classes. One were those who had killed for a robbery or a similar reason, others for love or passion or

Jerarquía entre presidiarios

Los presos se dividían por categorías, basadas en el delito cometido. Así es como los condenados por homicidio se consideraban seres superiores y no tenían relación con los ladrones comunes.

A su vez, también los ladrones se dividían en clases: los chantajistas, falsificadores y ladrones finos no alternaban con los "rateros".

Pero a su vez los homicidas se dividían en clases. Estaban los que habían matado por robo u otro motivo similar y los que lo habían hecho por amor o pasión o incluso por salvar el honor de un ser querido. Ese fue el caso de Eduardo Ramírez Raleix que mató a un amigo por defender el honor de su hermana.

El periodista Aníbal del Rié salvó en su libro muchas inscripciones realizadas en las paredes de las celdas. Todas referidas a crímenes pasionales. Transcribimos algunas: "Nunca se es amado como se ama; por eso el arte de ser feliz en el amor, consiste en dar todo sin pedir nada"; otra inscripción dice: "El hombre en el amor es insensato por naturaleza más que por definición. Pasa la mitad de su existencia y arrasa todo en una hora". Los hombres presos por un crimen pasional son seguramente los que sienten más arrepentimientos. Así lo demuestra la siguiente inscripción escrita también en una celda: "Un momento de debilidad, de ofuscación, de imprudencia en el amor y toda la obra queda destruida por nuestras propias manos, todo buen propósito dispersado; todo un porvenir de paz y de honradez molido. Lo único que siempre queda de pie es la tragedia del remordimiento".

Vida de los presos políticos y fugas exitosas

A Ushuaia también fueron enviados presos políticos y sociales. Esto sucedió en 1905, 1911 y sobre todo en la década del 30, después del golpe militar. Pero tanto las circunstancias como la vida que desarrollaban en la "cárcel" era muy particular. Para reflejar esta situación veremos algunos casos.

En 1931 fue enviado a Ushuaia el diputado Néstor Aparicio quien a raíz de su estada escribió un libro que se llamó "Los prisioneros del 'Chaco' y la evasión de Ushuaia" (1934). Allí cuenta su experiencia.

Después de la revolución del 6 de septiembre de 1930, que derrocó al señor Hipólito Irigoyen, el diputado Aparicio (Partido Radical) estuvo tres meses en Montevideo. En una entrevista que le hizo el diario "El Nacional" acusó al

even to save the honor of a beloved person. This was the case of Eduardo Ramírez Raleix who killed a friend to save his sister's honor.

The reporter Aníbal del Rié collected in his book many inscriptions on the walls of cells. We transcribe some referred to passional crimes: "You are never loved the way you love; so the art of being happy in love is to give everything without asking nothing"; another one says: "Man is foolish as regards love by nature rather than by definition. He spends half his existence and destroys everything within an hour". Men confined for a passional crime are probably the more repented ones as this inscription shows: "A moment of weakness, of blinding, of imprudence in love and the whole work is destroyed by our own hands, all good intention vanished; a whole future o peace and honesty grounded. The only thing that always remains upright is the tragedy of remorse."

The Life of Political Prisoners and Successful Escapes

Political and social prisoners were also sent to Ushuaia. This happened in 1905, 1911 and mainly in the 30s, after the military coup. Anyway, their situation and lifestyle in the "prison" was rather peculiar. To show this, we will consider some cases.

In 1931, deputy Néstor Aparicio was sent to Ushuaia. He wrote a book about his experience there "Los prisioneros del 'Chaco' y la evasión de Ushuaia" ('Chaco's' Prisoners and the Escape from Ushuaia) (1934).

After the revolution of September 6 1930 that overthrew president Hipólito Yrigoyen, deputy Aparicio (Radical Party) stayed in Montevideo for three months. Interview by "El Nacional" daily, he accused the military government of defending the Americans' oil interests. Soon after returning to his native village, Dolores — where he would go on with his career as a lawyer—, he was arrested and taken to the National Penitentiary in Buenos Aires. He was there for five months till the "Chaco" steamer took him to Ushuaia. He was imprisoned because of his sayings in Montevideo.

But he was not the only political prisoner. That March 7 1931 Pedro Bidegain, Néstor Aparicio, Arturo Benavidez, Carlos Montes, Mario Cima and Emir Mercader —a doctor that people in Ushuaia were very fond of because of his wisdom and humanity, as he used to treat patients without charging them— were embarked on the "Chaco" transport.

Political prisoners were embarked in cabins under the threat of firing at them as soon as they

gobierno de facto de defender los intereses petroleros norteamericanos. A los pocos días de regresar a su pueblo natal, Dolores, donde planeaba retomar su profesión de abogado, fue detenido y llevado a la Penitenciaría Nacional en Buenos Aires. Permaneció cinco meses hasta que fue llevado, en el vapor "Chaco", a Ushuaia. El motivo fue la acusación que el diputado había formulado en el reportaje en Montevideo.

Pero no era el único preso político. Ese 7 de marzo de 1931 fueron embarcados en el transporte "Chaco": Pedro Bidegain, Néstor Aparicio, Arturo Benavidez, Carlos Montes, Mario Cima y el Dr. Emir Mercader, un médico que dejó muy buenos recuerdos entre los pobladores, por su sabiduría y humanidad: atendía a los pobladores sin cobrarles.

A los presos políticos los embarcaron en camarotes bajo amenaza de que existía orden de disparar sobre ellos "apenas asomaran las cabezas fuera del camarote". En las bodegas iban algunos penados con grilletes.

El vapor iba escoltado por un destructor, el "Catamarca", con sus ametralladoras y cañones ligeros apuntando a cubierta para sofocar el mínimo intento de sublevación.

El día 15 son desembarcados en Ushuaia. Después de los primeros trámites en la policía, se les franqueó la salida y debieron buscarse ellos mismos el alojamiento. Como no tenían recursos, el gobierno autorizó al gobernador para que gastara hasta 5 pesos por preso en alojamiento y alimentación.

Aparicio se alojó en la casa del matrimonio de Alfredo Barceló y Rosa Gallardo; Crovara y Bidegain encontraron una piecita en el comercio de Martínez; "en un cuarto de alto" González, Videla y el teniente Montes, y al lado de éstos Gutiérrez Diez e Isetta. En lo de Fique, Di Tulio; el Dr. Arturo Benavidez y Arturo Larco en el restaurante "El Comercio"; el Dr. Emir Mercader y Orestes Cassanello en el mismo restaurante, para después mudarse a una pieza al lado de la casa de comercio de don José Salomón; Marino en lo de Cabezas. En la gran casa de la familia Sanz (San Martín y Rosas) Nicolás Selen, Santiago Peralta, Salvador de Almanara y Ruiz Díaz; Pedro Cava y Pedatta en lo de Fondevilla.

Donde pasaban los mejores momentos era en la casa de don José Salomón y su esposa, quien les preparaba exquisitos platos y les festejaba los cumpleaños "como si fueran sus hijos".

Durante su confinamiento en Ushuaia se producían en el penal las famosas "cachiporreadas" que propinaba el personal a los pena-

"looked out of their cabins". Some convicts with shackles were in the hold.

The steamer was escorted by the "Catamarca" destroyer with its machine guns and light cannons aiming at deck in case of mutiny.

The disembark in Ushuaia on the 15. After some formalities with the police, they had to look for accommodation. As they had no resources, the government allowed the governor to spend $5 per prisoner on lodging and food.

Aparicio stayed at Alfredo Barceló and Rosa Gallardo's; Crovara and Bidegain found a room at Martínez's shop; González, Videla and lieutenant Montes "at a room in a first floor" next to Gutiérrez Diez and Isetta. Di Tulio stayed at Fique's; Dr. Arturo Benavidez and Arturo Larco at "El Comercio" restaurant; Dr. Emir Mercader and Orestes Cassanello at the same restaurant and then moved to a room next to Don José Salomón's shop; Marino stayed at Cabezas'. At the large house of the Sanz family (San Martín and Rosas St.) stayed Nicolás Selen, Santiago Peralta, Salvador de Almanara and Ruiz Díaz; Pedro Cava and Pedatta at Fondevilla's.

They used to have a nice time at Don José Salomón's. His wife prepared delicious dishes for them and celebrated their birthdays "as if they were her sons".

During their confinement in Ushuaia the famous "cachiporreadas" (bludgeoning) that the employees gave to the convicts took place. One year later, the prison's authorities and guards were prosecuted.

Five months after their arrival, a new contingent of two hundred prisoners arrived. There were no facilities to lodge them, so a disassembled large shed was sent from Buenos Aires to be set up on the beach. All of them should live there.

On August 15, Aparicio started to plan their escape. Dr. Emir Mercader and Orestes Cassanello would follow him. They were helped by Eusebio Cabezas and Alfredo Barceló, at whose house Aparicio was staying.

Mr. Lombardich and Mr. Mata supported them. As a lawyer, Aparicio had written some documents and telegrams for the judge of Río Gallegos thanks to which Mata could keep a property and Dr. Mercader had saved Lombardich's life. Besides, Aparicio's father sent money from Buenos Aires.

First, the three of them met at the cemetery. The escape was risky and they had a bottle of brandy, biscuits and canned sardines as the only provisions.

Once assembled, they left the cemetery and walked south following the rout of the train.

dos. Un año después tiene lugar el procesamiento a las autoridades y guardianes.

Cuando hacía cinco meses que se hallaban en esa situación llegó un nuevo contingente con doscientos presos políticos, que no cabrían ni en el presidio, ni en el pueblo. Para solucionar el problema embarcaron en Buenos Aires un galpón desmontable que instalarían en la playa y en el cual debían residir todos.

El día 15 de agosto Aparicio comenzó a organizar la fuga: lo acompañarían el Dr. Emir Mercader y Orestes Cassanello. La ayuda la recibieron de don Alfredo Barceló, en cuya casa se hospedaba Aparicio y del vecino Eusebio Cabezas.

Colaboraron económicamente con ellos el señor Lombardich, a quien el Dr. Mercader le había salvado la vida y el señor Mata a quien Aparicio, como abogado, le había preparado unos escritos y telegramas para el juez de Río Gallegos con los cuales pudo conservar una propiedad. El diputado recibía, además, giros que le hacía su padre desde Buenos Aires.

El primer paso fue reunirse los tres, en el cementerio. El escape era arriesgado y las únicas provisiones que llevaban eran: una botella de aguardiente, galletas y unas latas de sardinas.

Una vez reunidos, abandonaron el cementerio y caminaron hacia el sur. Primero siguiendo la ruta del trencito, en poco más de dos horas de caminata atravesaron la península y se acercaron al mar, en esa zona se encontraron con don Eusebio Cabezas que iba a facilitarles la fuga acompañándolos hasta ubicarlos en la costa del canal. Después se quedaron solos y siguieron caminando siempre siguiendo el ruido del oleaje.

Después de un día y medio de caminar continuamente, ya agotados, decidieron arriesgarse a que los descubrieran y encender un fuego; el frío y el cansancio los estaban venciendo. Después de algunas horas, no sabían cuantas, escucharon ruidos de cabalgaduras pero las fuerzas no les daban para esconderse. Los jinetes no eran gendarmes: eso los tranquilizó y cuando les dijeron que ya estaban en Chile y justamente en el campo del señor Miguel Serka hijo, que era quien los estaba esperando para ayudarlos, no podían creerlo, gritaban y saltaban. Después de tres horas Miguel Serka y el paisano Pancho Andrade llegaron con tres caballos a buscarlos. La marcha fue muy dura por lo accidentado del terreno: primero llegaron al aserradero de la bahía de Yendegaia (bahía larga), y después de reanimarse con café y pan casero siguieron a caballo hasta la estancia de Serka; allí ya estaban seguros.

They walked across the peninsula in two hours' time and reached the sea. There, they met Don Eusebio Cabezas who would take them to the channel coast. Now on their own, they went on walking using the sound of surf as reference.

Exhausted after a day and a half walking they decided to take the risk of being discovered and made a fire —cold and fatigue were defeating them. Some hours later, they heard horses approaching but they were too tired to look for a hiding place. To their relief, horsemen were not gendarmes and told them they were in Chile at Miguel Serka junior's land. Serka would help them. They shouted and jumped out of happiness. Three hours later, Miguel Serka and the peasant Pancho Andrade arrived with three horses for them. They had a hard ride because of the uneven land. First, they arrived at the sawmill of Yendegaia bay (bahía Larga) and after having some relieving coffee and home-made bread they went on horseback up to Serka's estancia, where they would be safe.

Meanwhile, in Ushuaia, when the escape was known, the governor asked the commander of the Chilean war transport to help chase the fugitives. But the Chilean seaman answered saying that his country would protect the escaped since they were political prisoners. This had been exactly the case —the "Águila" scout had rescued Santiago Peralta, another prisoner that had escaped some days before, in Navarino island. When they found the rest of the fugitives, they took them to Punta Arenas on the "Austral" steamer, of the Menéndez Behty company.

On August 22 they arrived in Punta Arenas. They had succeeded in their aim: freedom. This is the only successful escape ever registered. The key factors were: outsiders' help (mainly from Chile), their political condition, and the fact that they were not inside the prison. Had this situation been different, they would have failed in their attempt.

Carlos Gardel or Charles Romuald Gardés: Uruguayan or French? Was He Confined in this Prison or not?

His legend says he was. Files, blotters and sentences were not found. They were all sent to Buenos Aires and lost in the basement of the old Penitentiary building.

Anyway, there are many people who believe this story. For old settlers and warders, this is the absolute truth.

Manuel Buezas, a warder's son, says his father met "Carlitos" when the latter was sent from Buenos to serve a short sentence before he

En esos años la actuación del dúo Gardel-Razzano se constituyó en el acto más importante de las campañas de Barceló.

Convivió entre pistoleros de ese origen. Se registra un episodio en los anales policiales, en el que actuaba de campana, con el resultado de que una bala quedó alojada en su cuerpo. Purgó dos años de prisión en el entonces temible penal de Ushuaia. Se le redujo la pena por buena conducta, retornó a Buenos Aires e inició entonces su exitosa carrera artística."

Llegan más presos políticos (1934)

El 13 de enero de 1934, como consecuencia de un intento de revolución radical que se produce en diciembre del año anterior, en las provincias de Santa Fe y Corrientes, un nuevo contingente de presos políticos es enviado en el vapor "Chaco" a Ushuaia. Entre ellos estaban Ricardo Rojas; Cantilo; Honorio Pueyrredón; el ex-canciller Güemes; el ex ministro Alvarez de Toledo; el sobrino de Irigoyen, Martín; Víctor Juan Guillot, autor de un diario que luego se publicó: "Paralelo 55, dietario de un confinado"; Mario Guido, presidente de la Cámara de Diputados, vicegobernador electo en la fórmula Pueyrredón-Guido en las elecciones anuladas del 5 de abril de 1931.

El juez de paz, señor Trufat, también radical, consigue alojamiento para Ricardo Rojas, Mario Guido, Alvarez de Toledo, Enrique Mosca, el Dr. Güemes, en la mejor casa disponible, la del jefe de policía. Tenía galería de vidrios, calefacción en cada uno de los tres dormitorios, cocina, baño con calefacción y un hall amplio. Les contrató un cocinero, un ayudante y llevaron un valet, empleado de Güemes. Este grupo fue conocido como los "faraones". Comenzaron a llamarlos así en los días que estuvieron en la isla Martín García, porque recibían comidas especiales de sus familias y eran atendidos como reyes.

José Peco y Víctor Guillot se instalaron en el albergue "El Tropezón" y luego se mudaron a la casa de Claudio Colavecchia, yerno de José Romero. En el "Primer Argentino" se instalaron Ferreyra y unos amigos. Pueyrredón en la casa de un empleado del penal, un español de apellido Blanco. Cantilo en la casa de la familia Beban.

Los 24 más jóvenes en la casa verde a cargo de la gobernación. El gobierno había decidido pagarles 5 pesos diarios para su subsistencia, como en los casos ocurridos años antes. La comida se las enviaban del penal.

Todos tenían mucha libertad. Su única obligación era firmar todos los días el Registro

New Political Prisoners Arrive (1934)

A new contingent of political prisoners was sent to Ushuaia on the "Chaco" steamer on January 13 1934, as a consequence of an attempt of a radical revolution in the provinces of Santa Fe and Corrientes in December the previous year. Among them there were: Ricardo Rojas; Cantilo; Honorio Pueyrredón; ex minister of Foreign Affairs Güemes; ex minister Alvarez Toledo; Yrigoyen's nephew, Martín; Víctor Juan Guillot, author of a diary later on published: "Paralelo 55, dietario de un confinado" (Parallel 55, memorandum of a prisoner); Mario Guido, president of the Chamber of Deputies and vice-governor-elect in the null elections of April 5 1931.

Justice of Peace, Mr. Trufat, found accommodation for Ricardo Rojas, Mario Guido, Alvarez Toledo, Enrique Mosca and Dr. Güemes in the best house available, chief of police's. This had a glass gallery, heating in the three bedrooms, a kitchen, a bathroom with heating and a roomy hall. A cook, an assistant and a valet, Güemes' employee, were hired. This prisoners' group was known as the "pharaohs" since their stay at Martín García island because their families prepared especial dishes for them and were served as kings.

José Peco and Víctor Guillot stayed at "El Tropezón" hostel and then moved to Claudio Colavecchia's, José Romero's son-in-law. Ferreyra and some friends stayed at the "Primer Argentino". Puerredón stayed at the Spanish Blanco's, a prison's employee. Cantilo stayed at Bebans.

The youngest 24 stayed at the government's green house. The government gave them $5 for their living as in the previous cases. Meals were sent from the prison.

They were rather free. They only had to sign the Police Register daily. The pharaohs worked and studied. Rojas wrote with no stop, Guido read his books and newspapers. They scarcely went out, although they received visitors. In the evenings, they played la loba.

Few days after their arrival (February 16), the Monte Pascoal ship reached port with Pueyrredón's Ricci's and Martínez Guerrero wives. There is also mail for the rest and 20 boxes with fruit sent by their coreligionist José Minuto. José Peco was visited by his fiancée.

Jimena Saenz takes Guido's observations of customs for her article: "people get ready for winter. They carry large logs with a chain fixed with a nail. A horse pulls the preferred round logs. Prisoners work the hardest to face next Fuegian winter. The train that takes them to the

Policial. En la casa de los faraones se trabajaba y estudiaba. Rojas escribía sin cesar, Guido se encerraba con sus libros y diarios. No eran muy partidarios de salir, aunque recibían con alegría a las visitas. Por las noches jugaban a la loba en casa de los faraones.

A los pocos días de haber llegado (16 de febrero) llega el buque Monte Pascoal, en el cual arriban las señoras de Pueyrredón, de Ricci y de Martínez Guerrero. Además traen correspondencia para el resto y veinte cajones de fruta enviados por el correligionario José Minuto.

José Peco recibió la visita de su novia. Guido, que es en quien se basa Jimena Saenz para su artículo, observa las costumbres: "la gente se prepara para pasar el invierno. Acarrean grandes troncos pinchados con un clavo sujeto a una cadena. Desde un caballo movilizan esos troncos preferidos, los llamados rollizos". Preparándose para el crudo invierno fueguino los presos trabajan más que nunca. El trencito que los lleva al monte hace dos viajes diarios trayendo leña y los troncos rollizos se acumulan como una muralla frente al Penal".

A Alvarez de Toledo, viajero habitual a Europa y que observa todo con mirada práctica se le ocurre que el paisaje maravilloso de los canales y el clima propicio se prestarían para crear un centro de deportes de invierno. Al gobernador le parece un proyecto progresista y recomienda la bahía Brown (cerca del casco de la estancia Harberton). De esta forma organiza una excursión a bordo del transporte Patagonia. Es así como el 20 de marzo parten en excursión al lugar para conocerlo y tomar fotografías. Guido escribe en su diario: "¡Un viaje! Te parecerá extraordinario pero ha ocurrido. ¡Confinados que salen de excursión!".

En cuatro horas llegaron a destino. Recalaron en puerto Almanza y luego, en un cúter, fueron hasta puerto Harberton donde se quedaran en la estancia de Guillermo Bridges.

El doctor José Peco era catedrático penalista en La Plata. El, junto a Victor Guillot, visitaban la cárcel con asiduidad y se interesaban por los presos. Comentaron sobre los incomunicados: "La comida se les sirve en el suelo quedando los platos fuera de la celda, recién cuando está por llegar un barco se les corta el pelo y la barba y se los lleva al baño". Hace ocho meses que no se les da ropa interior, no hay sábanas y las mantas son viejas".

Escribió Guido:

"Los domingos los penados salen con la banda a dar funciones para ofrecerle al vecindario la alegría de su música. Espectáculo contradictorio y doloroso, que yo no sé como la gente

wood travels twice a day carrying firewood that is piled up against a wall opposite the Prison."

Alvarez Toledo, a usual Europe visitor, realized that the marvelous landscape of channels and the climate were suitable for a winter sports resort. The governor found it a progressive project and suggested Brown bay (near the main house of Harberton estancia). Therefore, he organizes an excursion aboard transport "Patagonia". On March 20 they set off to know the place and take photographs. Guido wrote in his diary, "What a trip! You would not believe it, but it is true. Prisoners on excursion!"

In four hours' time they reached their destiny. They heeled at Almanza port and then, on a cutter, they went to Harberton port as they were staying at Guillermo Bridges' estancia.

Doctor José Peco was a penal lecturer at La Plata and together with Víctor Guillot visited the prison regularly and cared for the convicts. About the isolated ones they commented: "Meals are served on the floor and the plates remain outside the cell. Only when a ship is about to arrive prisoners have their hair and bear cut and have a bath. It is eight months since they were last given under clothes, there are no sheets and blankets are old."

Guido wrote: "on Sundays the convicts' band goes out to play 'to offer the neighborhood the joy of music'. A contradictory and pitiful show; I cannot understand how people can bear it. Those men in black and yellow striped suits with a cap playing their instruments surrounded by guards and soldiers armed with Mausers make you feel such a sadness that the joy of marches cannot hide. They stand in facing the merchants' or neighbors' houses that thank for the music giving prisoners cigarettes or money..."

Political prisoners tried to have a good time, but the feeling of injustice and desolation was permanent. They lived a sort of absurd nightmare, sent away from Buenos Aires for the government to call an election without them and then sent back two or three months later. On May 11 they set sail for Buenos Aires and once there sent to Martín García island to be set free in groups later on.

This is an extract from Jimena Sáenz's work published in Todo es Historia N° 78.

Mac Hannaford's Case

The case started in December 1936 when the military attaché of the Paraguayan embassy (Col. Torreani Vieira) reports to minister of Interior Basilio Pertine that he had been offered secret military documents. The military intelli-

puede soportarlo. Esos hombres vestidos de amarillo a rayas circulares negras, traje y gorro, tocando sus instrumentos, rodeados de guardianes y soldados armados a máuser, dan una sensación de tristeza, que las notas alegres de sus marchas no consiguen disipar. Y se paran frente a las casas de los comerciantes o de vecinos, que agradecen su música con cigarrillos, o dinero...".

Los confinados políticos tratan de pasarla lo mejor posible, pero el sentimiento de injusticia y desolación es permanente. Se sienten en una especie de pesadilla sin sentido: fueron alejados de Buenos Aires para que el gobierno haga una elección sin ellos y luego ser traídos de vuelta a los dos o tres meses. El 11 de mayo embarcan con destino a Buenos Aires donde son conducidos a la isla Martín García y luego liberados en grupos.

Extractado del trabajo de Jimena Sáenz, publicado en el Nº 78 de Todo es Historia.

El caso Mac Hannaford

La historia comienza en diciembre de 1936 cuando el agregado militar de la embajada de Paraguay (Cnel. Torreani Vieira) denuncia al ministro de guerra Basilio Pertine que le habían ofrecido en venta documentos militares secretos. Interviene el servicio de inteligencia militar y detienen al argentino Horacio Pita Oliver. En los interrogatorios confiesa que el mayor Guillermo Mac Hannaford, ayudante del jefe del Estado Mayor, general Nicolás Accame, le había entregado los documentos.

El mayor es detenido en su casa de Olivos y comienza un proceso sumido en el mayor de los secretos. El juez instructor de la causa fue el coronel Manuel Calderón; el defensor, designado por Mac Hannaford, Oscar Semino Parodi.

A mediados de 1938 la opinión pública se entera de que estaba desarrollándose un juicio por el delito de traición a la patria. Este realmente era un caso inédito. Así fue como el caso se convirtió en una especie de novela de espionaje que los ciudadanos seguían a través de los diarios y de la revista "Ahora".

En todo café, casa, oficina o taller se debatía el tema. Algunos opinaban que se debía establecer la pena de muerte y otros decían que eran puras mentiras. De esta forma se llega a agosto de 1938 cuando la Corte Militar condenó a Guillermo Mac Hannaford a reclusión perpetua y degradación pública. El 18 del mismo mes se llevó a cabo la ceremonia de degradación, la primera que se realizaba en nuestro país. Una vez finalizada la misma fue devuelto a su celda,

gence investigated and arrested the Argentine Horacio Pita Oliver. Inquired, he confesses major Guillermo Mac Hannaford, the assistant of the Chief of Staff general Nicolás Accame, had handed over the documents.

The major was arrested at his house in Olivos and a strictly secret trial began. The trial judge was col. Manuel Calderón and Oscar Semino Parodi was Mac Hannaford's counsel.

Towards the mid of 1938, public opinion got to know about this unprecedented high treason trial. The case turned out to be a kind of espionage novel that citizens read in papers and the magazine "Ahora".

At home or the office, in every café and workshop people argued about this. Some were for the death penalty, other thought the whole thing was a lie. In August 1938, the Military Court sentenced Guillermo Mac Hannaford to life imprisonment and public degradation. The demotion ceremony took place on 18 that same month, the first one in Argentina. Then, he went back to his cell and was taken to Martín García and finally to Ushuaia.

At first, the press objected to the trial. The authorities involved did not pay attention and soon other news caught public attention: World War II.

Mac Hannaford arrived at the Prison of Ushuaia with a halo of mystery. There, he was treated as a gentleman and both prisoners and guards called him "Sir". He worked in the library and in the print shop.

In the middle of the war the press insisted. The "Linterna" magazine in its first issue (1940) claimed for the review of the case. The judge Jantus ordered the sequestration of the magazine, which published a second issue without the articles about Mac Hannaford. The government sued "Linterna" and one of the solicitors was someone who knew Ushuaia and its prison —Víctor Juan Guillot.

The offense apparently committed by Mac Hannaford was never fully clear. The referred "secret documents" were never found. His house is Olivos was fully dismantled, but nothing was found. He always declared himself innocent.

Mac Hannaford stayed in Ushuaia up to 1947, when the prison was closed, but his sentence went on till 1956 when provisional president Pedro Eugenio Aramburu decreed his pardon. He left the prison with a pulmonary disease and died on September 5 1961. It is believed that he was another victim of the cold of the Prison of Ushuaia.

desde donde fue trasladado a Martín García y luego a Ushuaia.

En un primer momento la prensa inició una campaña en la cual se objetaba el proceso, pero duró poco tiempo. Las autoridades correspondientes no contestaban y pronto otro tema acaparó la atención del público: la Segunda Guerra Mundial.

De esta forma, rodeado de un halo de misterio, arribó Mac Hannaford a la Cárcel de Ushuaia. En el presidio era respetado como un caballero y tanto los presos como los guardianes lo llamaron siempre "Señor". Entre los trabajos que tuvo se ocupó en la imprenta y la biblioteca.

En plena guerra siguieron algunos reclamos de la prensa. La revista "Linterna", en su primer número (1940), inicia una nueva campaña en su favor y reclama la revisión del caso. El resultado es que el juez Jantus ordena el secuestro de la revista, que edita una segunda edición sin las notas sobre Mac Hannaford. El gobierno inicia un juicio a "Linterna" y uno de sus defensores fue, justamente, alguien que conocía muy bien Ushuaia y su presidio, Víctor Juan Guillot.

El delito cometido por Guillermo Mac Hannaford nunca fue esclarecido totalmente. Dado que nunca se encontró ninguno de los documentos teóricamente "secretos" que había puesto en venta. Se llegó a desmantelar su casa de Olivos levantando piso y techo pero el resultado fue negativo. Por otra parte, él siempre se declaró inocente.

Mac Hannaford permaneció en Ushuaia hasta 1947, fecha en que se cerró la cárcel, pero su condena duró hasta 1956 cuando el presidente provisional Pedro Eugenio Aramburu decretó su indulto. Salió de la cárcel enfermo de sus pulmones y murió el 5 de setiembre de 1961. Según la creencia popular el frío del Presidio de Ushuaia había cobrado otra víctima.

Penado No. 155 : Simón Radowitzky o Radovitsky

Simón Radowitsky o Radovitzky: joven anarquista de origen ruso. Se hizo famoso con el asesinato del comisario Falcón, jefe de policía, y su secretario, con una bomba arrojada dentro de su coche.

Una síntesis de los hechos extraídos del expediente del juicio nos remonta al 1º de mayo de 1909, cuando una concentración convocada por el movimiento obrero FORA choca violentamente con la policía siendo el resultado de 5 manifestantes muertos. Se convoca a un paro

Convict Nº 155: Simón Radowitzky or Radovitsky

This young Russian anarchist became famous for the murder of chief of police Falcón and his secretary with a bomb throw from a car.

The proceeding reports that on May 1 1909, when the workers' movement FORA had organized a demonstration, a fight with the police takes place and five demonstrators died. A strike is called for the following day and Ramón L. Falcón resignation is asked, but he denies.

On November 14, chief of police Falcón goes to Recoleta cemetery to the burial of a friend: Antonio Ballvé, the director of the National Penitentiary. Leaving the cemetery, driving along Callao Av. "a strapping lad looking foreigner starts running at maximum speed after chief of police's coach carrying something in his hand." Witnesses wonder what is he doing and a few minutes later they know: "when the coach turns, the unknown man approaches obliquely and throws a package inside it. A moment later, the terrible blast. The terrorist looks around and makes for Alvear Av." People run after him and the man, escaping desperately, he takes a gun out of his pocket and accidentally wounds his right nipple and falls down.

People surrounds and insults him. Soon, chief of police Mariano T. Vila arrives and takes him to Fernández Hospital. Diagnosis: a slight injured in the right pectoral area. After being assisted, he is taken to police station 15 in isolation. Inquired, he just says he is an 18 year-old Russian. Two days after, he is identified as Simón Radovitsky or Radowitsky, Russian, addressed in Andes St. 194 (present José Evaristo Uriburu), arrived in the country in 1908. Asked for his background, Argentine embassies report: "he has taken part in disturbances in Kiev, Russia, in 1905 and was sentenced to six months' imprisonment. He was wounded and has scars. He belongs to an anarchical group headed by the intellectual Petroff with revolutionaries Karaschin, Andrés Ragapeloff, Moisés Scutz, José Buwitz, etc."

Newspapers asked for a fast and model trial: the prosecutor asked for the death penalty. Nobody believed Radowitsky was 18. Experts estimated he was between 20 and 25; execution was possible at 22. Suddenly, Moisés Radowitsky —the accused's cousin— appeared with the birth certificate that confirmed the boy was 18.

Therefore, he was sentenced to "imprisonment for indefinite time, confined in his cell on bread and water 20 days a year near the date of the chief of police's death". He would be impri-

para el día siguiente y se pide la renuncia del comisario Ramón L. Falcón, lo que no es aceptado.

El 14 de noviembre el comisario Falcón concurre al cementerio de la Recoleta a despedir los restos de un amigo: el comisario Antonio Ballvé, director de la Penitenciaría Nacional. A la salida, cuando el coche se aleja por la Avenida Callao "un mocetón con aspecto de extranjero comienza a correr a toda velocidad detrás del carruaje del jefe de policía, lleva algo en la mano", los testigos se preguntan qué querrá, unos minutos más tarde tienen la respuesta: "al doblar el coche, el desconocido se acerca en línea oblicua y arroja el paquete al interior del mismo, medio segundo después la terrible explosión. El terrorista mira para todos lados y comienza su huida hacia la avenida Alvear". La gente comienza a perseguirlo y en su desesperada huida extrae de su bolsillo un revolver con el que él mismo, por accidente, se dispara un tiro en la tetilla derecha y cae en la vereda.

La gente lo rodea y lo insulta, al rato llega el comisario Mariano T. Vila de la comisaría 15 y lo lleva al hospital Fernández. Diagnóstico: herida leve en la zona pectoral derecha. Luego de las curaciones es llevado a un calabozo de la comisaría 15, incomunicado. En los interrogatorios sólo dice que es ruso y que tiene 18 años. Después de unos días es identificado: se llama Simón Radovitsky o Radowitzky, ruso, su domicilio: conventillo de la calle Andes 194 (actual José Evaristo Uriburu). Llegado al país en marzo de 1908. Los antecedentes que se piden a las embajadas argentinas informan que: "ha participado en disturbios en Kiev, Rusia, en 1905 y que por ello fue condenado a seis meses de prisión. En esos disturbios ha recibido heridas de las que le quedaron cicatrices. Pertenece al grupo ácrata dirigido por el intelectual Petroff juntamente con los revolucionarios Karaschin, Andrés Ragapeloff, Moisés Scutz, José Buwitz, etc."

Los diarios piden un juicio rápido y ejemplar: en el proceso el fiscal solicita la pena de muerte. Nadie creía que tuviera 18 años. Los peritos le calculan entre 20 y 25, el promedio es 22, edad suficiente para ser fusilado. Imprevistamente aparece Moisés Radowitzky, primo del acusado, con la partida de nacimiento que confirma los 18 años.

Es así como la condena pasa a ser de "penitenciaría por tiempo indeterminado con reclusión en su celda a pan y agua durante 20 días por año al acercarse la fecha de la muerte del comisario". Pasará 21 años en la cárcel, de los cuales 10 serán en calabozo aislado y 19 de esos años en el presidio de Ushuaia.

soned for 20 years, 10 out of them in solitary confinement and 19 in Ushuaia.

He was moved to Ushuaia because of an escape on January 6 1911 from the National Penitentiary. Thirteen convicts including two famous anarchists (Francisco Solano Regis and Salvador Planas Vilella) run away. Radowitsky did not took part in the escape as some minutes before he had been taken to the prison's print shop. After this event the prison's director rejected the custody of the famous anarchist of whom prisoners and jailer were fond of. He was taken to Ushuaia that same year.

After World War I, in May 1918, his old companion started a campaign through the paper "La Protesta" in favor of the "hero" and strongly against the subdirector of the prison, Gregorio Palacios, who was accused of torturing their friend. The psychological impact on public opinion was so powerful that Yrigoyen's government started an administrative summary and the three warders accused of torments were characterized as people of bad customs and a worse background and they were removed temporarily.

The pamphlet (La Protesta) also announced his companion were planing the escape. Six months later, on November 7, newspapers headlines read: Radowitsky escaped.

He was helped from Punta Arenas, where some anarchists that had arrived from Buenos Aires hired "Pascualín" Ríspoli, known as "The last pirate of the Beagle" as he smuggled alcohol and sealions furs. The "Sokolo" schooner cast anchor in Puerto Golondrina, west of Ushuaia (11- 4 -1918). Radowitsky left the prison on November 7 disguised as warder, reached the meeting point, and set sail for Punta Arenas. At 9.22 a.m. the escape was known and the chase started in Ushuaia and Chile. The Chilean Navy caught the fugitive in Aguas Frías, 12 kilometers away from Punta

Se lo trasladó a Ushuaia a raíz de la fuga que se produjo el 6 de enero de 1911 en la Penitenciaría Nacional. Trece penados, entre ellos dos famosos anarquistas: Francisco Solano Regis y Salvador Planas Vilella, lograron escapar. Radowitsky no participó de la huida dado que unos minutos antes había sido llevado a la imprenta de la cárcel. Después del espectacular acontecimiento el director de la penitenciaría no quiso seguir custodiando al famoso anarquista que, además, concitaba la simpatía de presos y carceleros. Ese mismo año se decide su traslado a Ushuaia.

Después de la Primera Guerra Mundial, en mayo de 1918, sus antiguos compañeros comienzan una campaña a través de "La Protesta" en favor del "héroe" y atacan con fuerza al subdirector del penal, Gregorio Palacios, a quien acusan de torturar a su amigo. El impacto psicológico sobre la opinión pública es tan fuerte que el gobierno de Irigoyen inicia un sumario administrativo en el que los tres guardiacárceles acusados de torturas son calificados de personas de malas costumbres y peores antecedentes y se los suspende.

El folleto anunciaba que sus compañeros estaban preparando la huida. Efectivamente, seis meses después, el 7 de noviembre, los diarios anuncian la sensacional noticia: Radowitsky se había fugado.

Lo hizo apoyado desde Punta Arenas, donde otros anarquistas arribados de Buenos Aires, contratan los servicio de "Pascualín" Rispoli, también conocido como "El último pirata del Beagle" por sus oscuras navegaciones llevando alcohol o cueros de lobos marinos de un lado al otro de la frontera. Con la goleta "Sokolo" fondearon en Puerto Golondrina, al oeste de la ciudad de Ushuaia (4-11-1918). El 7 del mismo mes Radowitsky deja el penal vestido de guardiacárcel, llega hasta el punto convenido y se embarca, de inmediato parten hacia Punta Arenas. Mientras tanto, en el penal, a las 9.22 se nota su ausencia y comienza la persecución desde Ushuaia y desde Chile. La marina de este último país lo recaptura en Aguas Frías, a 12 kilómetros de Punta Arenas; fueron sólo 23 días de libertad. De regreso al penal se le aplicó un largo castigo hasta el 7 de enero de 1921: reclusión en su celda y a media ración.

Un guardiacárcel, entrevistado por Osvaldo Bayer, relató algunos aspectos de su vida en la cárcel:

"... trabajaba de mecánico en el taller del penal, allí acudían sus compañeros para contarles sus problemas, él era una especie de delegado frente a las autoridades del penal o del gobierno, ante quienes exponía de forma clara y

Arenas. They were just 23 days of freedom. Back in the prison he was punished with solitary confinement and half his ration up to January 7, 1921.

A warder interviewed by Osvaldo Bayer spoke about some aspects of Radowitsky's life in the prison: "...he worked as mechanic in the prison's garage where his mates went to tell him about their problems. He was a sort of delegate before the prison's authorities and the government. He explained clearly and shortly their problems. If he was not heard, he organized a hunger strike or a protest choir. Of course, he was the one who suffered the reprisals, but he could bear any punishment..."

A journalist from La Razón succeeded in interviewing him in 1925 and wrote a profile: "... he is a guy of average height, slim, broad forehead, balding, prominent jaw, thick-browed and with small vivid eyes. He has a pale complexion and some red stripes on his cheeks. He is 34 and has been in the prison for 16, where he works doing a bit of everything. His cell is a model of cleanness and some family portraits can be seen there...

...He knows that as an anarchist he is still popular and that his companion have placed a martyr crown on him, but he says this things annoy him and claims he did not murder Falcón to become a celebrity but out of conviction. The Afinidad group sends him provisions and medicines, especially tonics..."

Because of the wreck of the ship Monte Cervantes, the reporter Eduardo Barbero Sarzabal from Crítica was sent to Ushuaia in January 1930. He got an allowance to visit the prison and interviewed Simón Radowitsky. Barbero wrote: "Surprised, Radowitisky passed through the door clutching his cap and walked determined in his zebra, blue and yellow suit with large numbers on the jacket and trousers —155. He is of average height, lively. His head erect, on his face firm features and outstanding thick brows. He has rather black short hair with some gray hairs. His forehead is broad and his hair is receding at the temples. When he gets to know that the writer is from Crítica, he shakes hands gripping strongly. He has a rather skeptical smile."

Radowitsky said to Crítica: "I am really pleased of talking to the comrades that care for me through you. I am relatively well. Although it is a year since I was last punished, I am still suffering from anemia. The problem is that during November and December we were on hunger strike for 20 days to protest for the inhuman acts of an officer called José Sampedro, who punished a prisoner for an unimpor-

concisa sus inquietudes, cuando no conseguía sus objetivos organizaba una huelga de hambre, de brazos caídos o un coro de protesta, por supuesto él era quien siempre sufría las represalias, pero aguantaba cualquier castigo...".

En 1925 un periodista de "La Razón", logra entrevistarlo, esta es la descripción que hace:

"...es un sujeto de mediana estatura, delgado, frente despejada, y algo calvo, quijada prominente, cejijunto y ojos pequeños, vivos. El rostro es pálido y en los pómulos se le observan algunas vetas rojas. Tiene 34 años y hace 16 que está en el presidio, en el que trabajó de todo. Su celda es modelo de limpieza y en ella se ven algunos retratos de familia...

...Sabe que como ácrata continua gozando de popularidad y que sus compañeros de ideas han tejido sobre él una corona de mártir, pero dice que tales manifestaciones le molestan y que no mató a Falcón para hacerse célebre sino a impulsos de sus convicciones. En víveres y medicamentos, especialmente tónicos, recibe socorros del grupo Afinidad... "

En enero de 1930, a raíz del hundimiento del Monte Cervantes, Eduardo Barbero Sarzabal, periodista de Crítica, es enviado a Ushuaia. Allí consigue un permiso para visitar el penal y entrevista al penado Simón Radowitsky. De él escribió:

"(Radowitisky), sorprendido, franqueó la puerta llevando el casquete entre las manos y avanzó resuelto, vestido con su traje color cebra, azul y amarillo, con grandes números en el saco y pantalón. El 155. Es de estatura mediana. De gesto enérgico. La cabeza erguida, la cara de rasgos firmes en la que destacan sus gruesas cejas. El pelo corto, tirando a negro, descubre algunas canas. La frente amplia, con grandes entradas. Y al expresarse que es un redactor de Crítica quien desea hablar con él, extiende la mano que aprieta fuertemente. Sonríe más bien escéptico."

Dice a Crítica:

"- Me es muy grato poder hablar por su intermedio a los camaradas que se interesan por mí. Yo me hallo relativamente bien. Tengo aún un poco de anemia a pesar de que desde hace un año no me infringen penas. Es que durante los meses de noviembre y diciembre hicimos 20 días de huelga de hambre como protesta por la actuación inhumana de un inspector llamado José Sampedro, quien castigó a causa de un altercado sin importancia a un penado a quien lastimó. La protesta manifestada con la huelga de hambre dio resultados. Sampedro está suspendido.

No deseo los choques entre obreros. En estos episodios siempre hay un provocador policial

tant row hurting him. The strike was successful. Sampedro is temporarily removed.

I don't want disputes among workers. In this episodes there is always a provocative policeman that is the instrument. Although I was young I lived intensely the sorrow of the tragic day, the slaughtering of that May 1 that made many proletarian homes eternally sad. I intended to make justice.

Tell my worker comrades not to sacrifice for me. You can also say I am well... let them care for other companions who are in prison or not that also deserve help, maybe more than myself.

Some time ago I received 500 pesos. I used them for the ill. One suffered from the liver and needed special care. The other, poor thing, Andrés Baby is insane. Thanks to the treatment they received because of this financial aid, the first is improving. Now Baby will be taken to the asylum.

Our library is very bad. We need more books. The few we have we know by heart as we re-read them.

In Buenos Aires lives my cousin Moisés. The rest of my family is in the States. I speak of blood relations since I consider my fellow workers who suffer the present unfair society my family. Even imprisoned I am part of the proletarian family. My ideal of redemption is always latent." He gave his regards to this proletarian family through Crítica: "Fellow workers: I make use of the courtesy of Crítica's representative to send you my fraternal regards from this distant place where fatality vents its cruelty on the victims of the present society."

As a result, this interview precipitated the campaign for the pardon. With the help of the anarchist organizations of the United States, Radowitsky's parents were found. They sent a brief letter to president Yrigoyen, "We wish to see our son free before we die."

On April 13 that same year the President signs a pardon for 110 prisoners including Radowitsky.

He remembered that day with joy —prisoners were happy, and when he descended the stairs out of the prison in his civil clothes he found a group of people waiting to meet and congratulate him.

But he could not be fully happy —he had to leave the country. He went straight to Uruguay and worked as a mechanic, but as he was ill the party offered him a job. It is known that he took part in the Spanish civil war and, when his companion were defeated in 1939, he went to Mexico where he lived till he died on March 4 1956 of a heart attack.

que actúa como instrumento. Yo viví intensamente aunque era muy joven, el dolor de la jornada trágica, la matanza de aquel 1º de mayo que puso tristeza eterna en muchos hogares proletarios. Quise hacer justicia.

Diga usted a los camaradas trabajadores que no se sacrifiquen por mí. Puede expresar también que me hallo bien... que se preocupen por otros compañeros que sin estar en la cárcel o en ellas, merecen también ayuda, quizás más que yo.

Hace poco recibí 500 pesos. Lo he empleado entre los enfermos del penal. Uno estaba mal del hígado y requería especiales cuidados. El otro, pobrecito, llamado Andrés Baby, está loco. Los cuidados que les hemos propiciado con esta ayuda financiera determinaron la mejoría del primero. Ahora a Baby lo llevarán al hospicio.

La biblioteca nuestra es pésima. Hacen falta más libros. Los pocos que tenemos los conocemos de memoria de tanto releerlos.

En Buenos Aires tengo un primo llamado Moisés. Los demás miembros de mi familia están en Norteamérica. Me refiero a los que están unidos a mí por lazos de consanguinidad porque a los compañeros trabajadores que sufren la injusticia de la sociedad actual los considero también muy míos. Yo integro, pese al encierro, la familia proletaria. Mi ideal de redención está siempre latente.".

Es a esta familia proletaria a la que le manda un saludo, por intermedio del periodista de Crítica:

"compañeros trabajadores aprovecho la gentileza del representante de Crítica, para enviarles un fraternal saludo desde este lejano lugar donde la fatalidad se ensaña con las víctimas de la sociedad actual".

La entrevista tiene como resultado la aceleración de la campaña por el indulto. A través de las organizaciones anarquistas de los Estados Unidos se logra ubicar a sus padres, quienes escriben al presidente Irigoyen una breve carta: "Antes de morir queremos ver a nuestro hijo en libertad".

El domingo 13 de abril del mismo año el Presidente firma un indulto que incluye a 110 presos, entre ellos a Radowitsky. Siempre recordaba con alegría ese día, hubo gran algarabía entre los presos y cuando bajó la escalinata saliendo del penal ya vestido de civil se encontró con un grupo de personas que lo esperaban para conocerlo personalmente o felicitarlo.

Pero la alegría del anarquista no fue completa. Si bien estaba libre debía irse del país. Es así como sale directamente a Uruguay y trabaja de mecánico, pero como su salud había quedado muy quebrantada el partido lo toma para

Mateo Banks, Alias "The Mystic"

He was also known as the first multi homicide and was famous at his time. Unfortunately, nowadays he would not draw anybody's attention. His family was of Ireland origin. He was born on November 18 1872 in the province of Buenos Aires and had four siblings. His family owned two estancias — "El Trébol" and "La Buena Suerte" in Paris, situated in Azul, province of Buenos Aires.

He was charged with the killing of eight people in Azul. They were: three of his brothers, his sister-in-law, two nieces and two workers. His intention apparently was to take possession of the two estancias. He declared himself innocent and insisted in his version of the events in several interviews. Now, the events.

On April 18 1922, near midnight, Mr. Mateo Banks reports something terrible at the police station of Azul: that day, in both estancias, he had witnessed scenes that shocked him. He had found his siblings dead-shot: Miguel, Dionisio, María Ana; his sister-in-law Julia Dillon and his niece Cecilia. Sara, his other niece, was missing and his niece Ana and María Ercilia Gaitán, the daughter of a worker, had survived but were intoxicated. He had miraculously survived as, being attacked, he killed Gaitán and wounded another worker, Loiza. Banks accused Gaitán and Loiza of being the murderers.

Chief of police Luis Bidonde arrested Banks preventively, even when at first he was no suspect. Everybody in the village knew him as a serious and right man.

Banks told judge Gualberto Illescas his version. He said that, after having lunch with his brother Dionisio in "La Buena Suerte" estancia, he went to their other property.

On arriving, his sister had told him they had not been able to eat as the meal tasted strange and children had awful stomachaches. He went back to the other estancia and found a similar problem. So he suspected of Gaitán, who had been dismissed that day. He thought the worker had taken revenge. Banks then put the blame on Gaitán for trying to poison his family helped by Loiza. Banks also claimed that Loiza fired him at his left foot. Then, Banks said, he found the dead and the intoxicated girls.

The police found evidence against Banks sayings. According to inquiries, Mr. Mateo Banks had bought strychnine in Rettes' pharmacy on April 1. The next 12 he bought he bought a rifle and a week before the slaughtering he registered, in the municipality of Azul, several sale certificates in his favor with his brother Dionisio's forged signature. Almost 1500

hacer trabajos dentro del mismo. Se conoce su participación en la guerra civil española y en 1939, cuando sus compañeros fueron vencidos, se dirige a Méjico donde vive hasta 1956. Ese año, el 4 de marzo, muere de un ataque cardíaco.

Mateo Banks, alias "El Místico"

También conocido como el primer multihomicida fue célebre en su época. Lamentablemente ahora no llamaría la atención. De familia de origen irlandés, nació el 18 de noviembre de 1872, en la provincia de Buenos Aires. Su familia compuesta por cuatro hermanos era dueña de dos estancias: "El Trébol" y "La Buena Suerte", en la localidad de París, Azul, provincia de Buenos Aires.

Fue acusado de matar a ocho personas en Azul. Ellos eran: tres hermanos, su cuñada, dos sobrinas y dos peones; con la intención de apoderarse de las dos estancias de la familia.El se declaró inocente y entrevistado varias veces en la cárcel insistió con su versión. Pero veamos cómo fue el caso.

El 18 de abril de 1922, cerca de la medianoche, el señor Mateo Banks hace una terrible denuncia en la comisaría de Azul: ese día, en ambas estancias, había presenciado escenas que le causaron espanto.Encontró muertos a tiros de escopeta a sus hermanos: Miguel, Dionisio, María Ana, a su cuñada Julia Dillon de Banks y a su sobrina Cecilia. Su otra sobrina, Sara, había desaparecido y sobrevivían —pero intoxicadas— su sobrina Ana y la niña María Ercilia Gaitán, hija de un peón. El había logrado salvar su vida por milagro, porque al ser atacado, repelió la agresión dando muerte a Gaitán e hiriendo a otro peón, Loiza. A Gaitán y Loiza acusaba de ser los autores del múltiple asesinato.

El comisario Luis Bidonde dejó demorado a Banks sólo por precaución ya que en un primer momento nadie en el pueblo hubiera sospechado de él: su seriedad y corrección eran por todos conocidas.

En su declaración ante el juez Gualberto Illescas dio su versión de los hechos. Contó que después de almorzar con su hermano Dionisio en la estancia "La Buena Suerte" se dirigió a inspeccionar el otro campo.

Al llegar su hermana le comentó que no pudieron comer dado que la comida tenía un extraño sabor y los niños estaban con fuertes dolores estomacales. Regresó a la otra estancia y encontró un cuadro similar. Así fue como sospechó que el peón Gaitán, despedido ese día, estaba tratando de vengarse. De esta forma

heads of cattle would be Mateo's.

The police also got his confession, but before the judge Banks declared himself innocent and said no word. He was found guilty because, among other reasons, the shot that perforated his boot never wounded his foot.

The following is the police's version. Mr. Mateo Banks, who run the two estancias, had many debts because his property "Los Pinos" had financial difficulties. So he tried to pay them off with the family's cattle. When one of his brothers discovered this, he tried to explained that he was looking for a better selling price. But the whole family still suspected.

Then Banks decided to poison everybody. But they realized that there was something wrong and, except for some intoxication cases, they had survived. Therefore, Banks decided to kill all possible witnesses in case they met and discover him.

The trial was long. The first sentence was appealed. Finally, on June 14 1924 the Excelentísima Cámara de Apelaciones (a higher court) of the province of Buenos Aires sentenced him to life imprisonment. From then on, he lived in the prisons of La Plata, Ushuaia, and that on La Heras St. He was known as the "lonely old man" as he did not make friends with other convicts whom he looked down on.

On June 10 1944, after a report from the director of the prison, he was set free on parole. A few days later, he died in a bath tub in a boarding house in the Federal Capital.

The reporter Aníbal del Rié mentions Banks in his book about the prison of Ushuaia that he visited in 1932. He says Banks was 1.80 height and weighted about 100 kilograms. "His face is impassive. Emotion, sorrow and interior uneasiness he does not show."

trató de inculpar al peón Gaitán de intento de envenenamiento en complicidad con Loiza. Según su declaración, éste le disparó con un revolver y le dio en el "botín" izquierdo. Luego contó cómo fue descubriendo a cada uno de los muertos y las niñas intoxicadas.

Durante la investigación la policía fue encontrando indicios que hicieron sospechar de la declaración. Según las pesquisas el 1o. de abril, el Sr. Mateo Banks había comprado, en la farmacia Rettes, un frasco de estricnina. El día 12 compró una escopeta calibre 12 y una semana antes de la matanza registró en el municipio azuleño varios certificados de venta a su favor con la firma falsificada de su hermano Dionisio, mediante los cuales pasaba a su nombre cerca de mil quinientas cabezas de ganado.

La policía también logró su confesión, pero llevado ante el juez se sumió en un total mutismo declarándose inocente. Fue encontrado culpable, entre otras razones, porque el disparo perforó el botín de lado a lado pero sin dañar el pie.

Según la policía los hechos fueron de la siguiente manera. El Sr. Mateo Banks, quien se desempeñaba como administrador de los dos campos familiares, había adquirido muchas deudas propias porque en su campo "Los Pinos" los negocios habían ido mal. Así trató de saldar sus deudas con el ganado de la familia. Al ser descubierto por uno de sus hermanos logró convencerlo que era sólo para obtener un mejor precio de venta. Pero las sospechas quedaron en toda la familia.

De esta forma decidió envenenar a todos. Lamentablemente para él en las dos estancias se dieron cuenta que la comida tenía algo raro y salvo algunas intoxicaciones no había pasado a mayores. Como temía ser descubierto cuando las dos familias se encontrasen fue que decidió matar a todos los posibles testigos.

El proceso fue largo, la primera sentencia fue apelada pero, finalmente, el 14 de junio de 1924 la Excelentísima Cámara de Apelaciones de la provincia de Buenos Aires lo condenó a la pena de prisión perpetua. Su vida transcurrió a partir de entonces, entre las cárceles de La Plata, Ushuaia y la de la calle Las Heras. Lo llamaban el "viejo solitario" porque no congeniaba con los otros internados a quienes consideraba seres inferiores.

El 10 de junio de 1944, previo informe del director del penal, se le concede la libertad condicional. Pocos días después muere en la bañera de una pensión de la Capital Federal.

El periodista Aníbal del Rié lo menciona en su libro sobre la cárcel de Ushuaia, donde estuvo en el año 1932: dice que tenía una

As Banks was 60, he was not allowed to work, so he spent most of his time knelt down praying in a loud voice as if in ecstasy. He had made a rosary with buttons that he always carried.

Below is the dialogue that the journalist had with Banks in 1932.

"I'm innocent," he says, "I was unfairly sentenced; I haven't killed. Judges don't know what they have done. I've said it a thousand times, but they paid no attention. Now —says Banks— I have fulfilled my obligation to the Creator and myself. I pray and the Creator knows I'm innocent, and I've written my memories so that mankind will know after my death that I was unfairly sentenced. They are written in one thousand and two hundred pages.

— One thousand and two hundred pages?

— Yes. The whole background and circumstances of what the world considers my crime are there.

— Do you keep them in your cell?

—No. They are in the prisoners works' file. They will be read after my death.

— But you are healthy, strong; you have many years ahead.

— Yes, fortunately. Sometimes I think that the Argentine Zolá will appear and convince judges so that I'm released. I'm as innocent as Dreyfus was. God knows it's true. I will have had my own Devil's Island."

For Aníbal del Rié: "Banks' cynicism causes sickness. It is innate. As you must remember, when arrested, a few days after the crime, he pretended so skillfully to be innocent that for a long time his guiltiness was in doubt. Anyway, he sentenced himself.

"When inquired for the last time he tried to convince the indictor that he was wrong and that the murder had been carried out by a murderers' gang by pointing at his left foot and saying:

- Here is the proof of my risking my life in saving my family's. I kept it for the last moment. I didn't want people said I was boasting about having defended them.

In the boot a whole as one produced by a shot could be seen. While he cried tearfully, he took off his boot and it became clear that the boot was perforated on both sides... but his foot had not been wounded at all."

Prisoner Nº 90 "El Petiso Orejudo" (Big-Eared Short man) or Cayetano Santos Godino

During 1912 Buenos Aires lived in terror because of a series of murders or attempts to kill

estatura de más de 1,80 metro y pesaba alrededor de 100 kilos. "Su rostro es imperturbable. La emoción, la tristeza, el malestar interior no tienen en él manifestación alguna".

Por su edad, 60 años, no se le permitía trabajar, pasaba las horas rezando en voz alta, la mayor parte de ellas arrodillado como en situación de éxtasis. Había fabricado un rosario con pequeños botones que nunca abandonaba.

Este es el diálogo que el periodista mantuvo con Mateo Banks en 1932:

"-Soy inocente- dice.- Me han condenado injustamente; yo no he matado. Los jueces no saben lo que han hecho. Lo he repetido hasta cansarme, pero no me han hecho caso. Ahora -continúa- ya he cumplido con el Creador y conmigo mismo. Con el Creador porque rezo y sabe que soy inocente, y conmigo mismo porque, felizmente, tengo escritas mis memorias para ser publicadas después de mi muerte, para que la humanidad, que me rechazó de su seno, sepa que me condenaron injustamente. Constan de mil doscientas hojas.

- ¿Mil doscientas hojas ?

- Sí. En ellas están todos los antecedentes y circunstancias de lo que el mundo llama mi crimen.

- ¿ Las guarda en la celda ?.

- No. Las he depositado en el archivo de obras de penados. Después de mi muerte recién se leerán.

- Pero usted está sano, fuerte; tiene aún muchos años de vida.

- Sí, felizmente, contesta. A veces, pienso que va a aparecer para mí el Zolá argentino, que convenza a los jueces y me saque del presidio. Soy inocente como lo fue Dreyfus. Dios sabe que es verdad. También habré tenido mi Isla del Diablo".

Para Aníbal del Rié:

"El cinismo de Banks causa náuseas. Es innato en él. Se recordará que al ser detenido, después de unos días de ocurrido el crimen, simuló con tal perfección ser inocente que, durante un tiempo, se dudó de su culpabilidad. Sin embargo, él mismo se condenó.

Cuando se le interrogó por última vez, pretendiendo inducir al sumariante en el concepto de que se estaba cometiendo un error, y que el crimen no era más que la obra de una banda de asesinos, señalando el pie izquierdo dijo:

- Aquí está la prueba que expuse mi vida por salvar a mi familia de la muerte. La reservé para el último instante. No quería que se dijera que hacía alardes de haberlos defendido.

Sobre el cuero del botín se veía un orificio como el producido por proyectiles de revolver.

minors. In January that year, the boy Arturo Laurora, was found dead in an abandoned house on 1541 Pavón St.

On March 7, opposite a local situated on 322 Entre Ríos St., a subject set on fire the dress of Benita Vainicoff. Soon after, the girl died because of the burns.

On November 8 there was a frustrated murder. The boy Carmelo Russo was found tied and semi-suffocated by a rope around his neck. This time somebody was arrested, but soon released as there were no merits.

Finally, on December 3, 3 year-old Gerardo Giordano was kidnapped and murdered in a weekend house on Moreno St. But the following daybreak this case came to an end when the 16 year-old minor Cayetano Santos Godino was arrested in a house on 1970 Urquiza St.

Then society would be secure again, but at the same time horrified and outraged by the cynicism of the offender. Soon after being arrested he declared to the press: "(...) Many times in the morning, after my mother and siblings' complaints, I went out looking for a job. As I found any I felt like killing somebody. Then I looked for someone to murder. If I found some kid, I took him or her somewhere and strangled him or her..."

But these were neither the first nor the last crimes committed by "the petiso orejudo", as he was known. Towards the end of September 1904, he took 17 months-old Miguel Depaoli near Humberto I and Liniers St. to kill him. He beat the baby and pushed him violently against a century plant hurting him severely.

On September 9 1908, he lead 2 year-old Severino González Caló into a yard situated in Victoria and Muñiz St. and submerged the boy in a water tank for horses. The owner of the place, Zacarías Caviglia, discovered him but Godino said the boy had been taken there by a woman he described.

Six days later, on September 15th, Godino burns 22 month-old Julio Botte on his lids with a cigarette in 632 Colombres St. The victim's mother spot him, but the offender could escape.

On November 20 the same year, he took the girl Catalina Naulener from Muñiz and Directorio St. He looks for a vacant land, but the girl will not go on. Godino lost his temper and beat her. Some neighbors helped her and Godino run away again. On 23 the same month, he tried to beat Carmen Gittone in Deán Funes and Chiclana. But neighbors helped her. The aggressor escaped as usual.

He tried to kill 18 month-old Ana Nera near San Carlos and Loria, but a policeman caught him. After that, he was sent to San Carlos

Mientras lloraba desconsoladamente se le quitó el botín y se comprobó que estaba agujereado de lado a lado... pero que el pie no había recibido daño alguno".

Preso No. 90: "El Petiso Orejudo" o Cayetano Santos Godino

Durante 1912 Buenos Aires vivió una época de terror, a raíz de una serie de asesinatos o intentos de asesinato de menores. Ese año, en enero, el niño Arturo Laurora, fue encontrado muerto, asesinado en una casa abandonada de la calle Pavón 1541.

El 7 de marzo, frente a un local ubicado en Entre Ríos 322, un individuo prende fuego al vestido que llevaba puesto la menor Benita Vainicoff, poco después la niña muere a causa de las quemaduras.

El 8 de noviembre un intento de asesinato es frustrado: el niño Carmelo Russo es encontrado atado y semiasfixiado por un cordón que le envuelve el cuello. En esa oportunidad hay un detenido que pronto es liberado por falta de mérito.

Finalmente, el 3 de diciembre, siempre del mismo año, es secuestrado y asesinado en una quinta de la calle Moreno, el menor Gerardo Giordano de 3 años. Pero esa madrugada el temor habría de finalizar cuando, en la casa de la calle Urquiza 1970, es detenido un menor de 16 años, Cayetano Santos Godino.

La sociedad estaría entonces más tranquila por su seguridad pero, al mismo tiempo, horrorizada e indignada por el cinismo del delincuente. Poco después de ser apresado declaraba ante la prensa:

"Muchas mañanas después de los rezongos de mi padre y de mis hermanos, salía de mi casa con el propósito de buscar trabajo, y como no lo encontraba tenía ganas de matar a alguien. Entonces buscaba a alguno para darle muerte. Si encontraba a alguien chico me lo llevaba a alguna parte y lo estrangulaba...".

Pero estos no fueron ni los primeros, ni los únicos crímenes que "el petiso orejudo", como se lo conoció desde entonces, habría de cometer. A fines de septiembre de 1904, lleva al pequeño Miguel Depaoli, de 17 meses, a las cercanías de la calle Humberto I y Liniers con la intención de matarlo. Lo golpea, lo empuja violentamente contra unas pitas y le propina heridas de gravedad.

El 9 de septiembre de 1908 conduce a Severino González Caló, de 2 años a un corralón ubicado en Victoria y Muñiz, donde lo sumerge en una pileta para caballos. El propietario del lugar, Zacarías Caviglia, descubre la tentativa

reformatory and released in December 1911. The following month, a new series of murders —mentioned above—started that eventually lead him to prison.

He also took pleasure in fire. By December 1912 he had set on fire the following places: the Anglo Argentina tram station, 3360 Estados Unidos St.; a brickyard, 3129 Garay St.; a wood yard, 3950 Carlos Calvo St; a yard situated in Corrientes and Pueyrredón St.

At first, Godino was declared unchargeable and confined to Las Mercedes Asylum, in the insane' pavilion. He attacked two patients there, so society asked for him to be imprisoned for good.

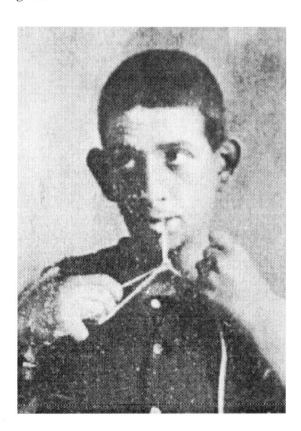

On the one hand, this was a new situation for judged that had to decide over his future. On the other hand, doctors knew his feeblemindedness was incurable and that he was physically and psychically abnormal. His impulses were conscious and he was extremely dangerous. Doctors' report suggested that he should be confined in Las Mercedes for the rest of his life. Either where he already was or in a special section for idiots.

Finally, on November 12 1915, the Court of Appeals assembled and decided unanimously that Cayetano Santos Godino were confined (while there were no proper asylums) to a prison for an indefinite time.

pero Godino se defiende diciendo que el niño había sido llevado hasta allí por una mujer, de la que suministra señas particulares.

Seis días más tarde, el 15 de septiembre, en Colombres 632, quema con un cigarrillo los párpados de Julio Botte, de 22 meses de edad. Es descubierto por la madre de la víctima, pero alcanza a huir.

El 20 de noviembre del mismo año, se lleva de la esquina de Muñiz y Directorio a la niña Catalina Naulener. Busca un baldío por la calle Directorio, pero antes de encontrarlo la menor se resiste a seguir. Godino se descontrola y la golpea. Unos vecinos intervienen a tiempo y Godino vuelve a huir. El 23 del mismo mes, en Deán Funes y Chiclana, intenta golpear a Carmen Gittone. Pero la víctima es amparada por los vecinos. El agresor consigue escapar.

En las inmediaciones de San Carlos y Loria, trata de matar a Ana Nera, de 18 meses, pero es sorprendido por un agente. Después de eso pasa un tiempo recluido en el correccional de San Marcos y recupera su libertad en diciembre de 1911. Al mes siguiente empieza otra serie de asesinatos, ya relatados, que finalmente lo llevan a prisión.

También le producía placer el fuego, por eso hasta diciembre de 1912 había provocado los siguientes incendios: en la estación de tranvía Anglo Argentina, Estados Unidos 3360; en una fábrica de ladrillos, Garay 3129; en un corralón de maderas, Carlos Calvo 3950; en un corralón ubicado en Corrientes y Pueyrredón.

En una primera instancia Godino fue declarado irresponsable y se lo recluyó en el Hospicio de Las Mercedes, en el pabellón de delincuente alienados. Allí atentó contra dos pacientes y entonces la sociedad empezó a reclamar su confinamiento carcelario definitivo.

La situación era nueva para los jueces que debían decidir su futuro y para los médicos, que lo declararon alienado mental. Esta alienación revestía carácter de imbecilidad incurable. Presentaba numerosas anomalías físicas y psíquicas, su impulso era consciente y extremadamente peligroso para quienes lo rodeaban y recomendaban, en su informe, que debía permanecer indefinidamente aislado en el Hospicio de las Mercedes, en la sección de alienados mentales delincuentes o en una sección de esa clase que se establezca en un sitio especial para idiotas.

Finalmente, el 12 de noviembre de 1915, la Cámara de Apelaciones se reunió y por unanimidad resolvió que Cayetano Santos Godino fuera confinado (mientras no hubiera asilos adecuados) a un Penitenciaría por tiempo indeterminado.

The prison of Ushuaia was chosen. He spent there the rest of his life and became one of the most famous convicts of the place. (Some of this information was extracted from Todo es Historia magazine)

Santos Godino's Life in Ushuaia

The following data are based on actions consulted thanks to the Penitentiary Museum. They are reports from 1935, asked on occasion of the first parole request and from 1938 when Godino asked again for it.

After a short stay at the National Penitentiary, he was moved to the prison of Ushuaia, where he served the rest of his sentence. His behavior improved gradually till it became model (1938). Anyway, he was punished on several occasions for unimportant faults.

Little by little his violent explosions diminished and he was docile and disciplined, but still dangerous because of being easily influenced and of his automatism. He went to school, but could learn practically nothing. He managed to read and write, so he sent letters to his family. Anyway, he had stopped having news from them by the end of 1933.

He was not trained for any craft, but he worked cutting slivers and was also employed in other light activities for medical prescription. He was willful but careless.

There is nothing worth mentioning in the medical report. He is considered to be in good shape for work. Medical treatment while imprisoned —November 4, 1927: he was operated on his "winged ears" as they were considered the source of his evil; July 21, 1933: gargling was prescribed to treat his pharyngitis; August 9, 1934: inhalations and quinine; December 23, 1935: thymol for intestinal worms; October 2, 1936: eczema on left leg; November 10, 1937: intestinal occlusion treated with opium; March 28, 1938: sodium carbonate for cerumen in right ear (this report does not mention he was in hospital in 1933 after his carpentry mates beat him because Godino had tortured a cat). The report concludes he is in good shape. Owing to his abnormal physical condition he cannot do hard labor.

School's Report: He said he went to school for two years —since he was seven—, but failed. He took first year twice in private school in the Federal Capital. From 1908 to 1911 he went to the school in the National Colony for minors in Marcos Paz, where he learnt to read and write some words and to count up to three hundred.

He learnt how to read, write, add up, subtract and multiply in the National Penitentiary

La cárcel elegida fue el presido de Ushuaia. Allí pasó el resto de su vida convirtiéndose en uno de los presos más famosos del penal. (Extractado en partes de la Revista Todo es historia).

La vida de Santos Godino en Ushuaia

Basándonos en un expediente facilitado por el Museo Penitenciario, se pueden encontrar algunos detalles de la vida de Godino en la cárcel. Son informes realizados en 1935, en ocasión de la primera solicitud de libertad condicional y en 1938 cuando se presenta un nuevo pedido en el mismo sentido.

Luego de una breve estadía en la Penitenciaría Nacional, fue trasladado a la cárcel de Tierra del Fuego, donde transcurrió el resto de su condena sin plazo. Allí su conducta fue mejorando gradualmente hasta llegar a ejemplar (1938). Igualmente recibió en forma aislada, y con intervalos que se prolongaban por más de un año, varias sanciones disciplinarias por faltas que no revestían gravedad.

Poco a poco se fueron aquietando sus violentas explosiones de carácter, manteniéndose dócil y disciplinado, pero peligroso por su condición de sugestionable y su automatismo. Su paso por la escuela no surtió ningún efecto siendo su instrucción casi nula, ya que consiguió aprender a leer y escribir en forma muy irregular, lo cual le permitía mantener correspondencia con su familia, de la que a partir de fines de 1933, dejó de tener noticias.

En cuanto a su actividad laboral, carecía de oficio pero se desempeñaba como peón en el taller de corte de astillas y en tareas muy livianas por indicación médica. Era voluntarioso pero descuidado.

En el examen médico no se hace notar nada digno de mención, considerando la aptitud física para el trabajo como buena.

Asistencia médica durante la reclusión:

el 4 de noviembre de 1927 se le realiza cirugía estética en las "orejas aladas" dado que se presume que su maldad radicaba en las orejas. El 21 de julio de 1933 se le recetan gargarismos por una faringitis; 9 de agosto de 1934: ceriza, tratamiento, inhalaciones y quinina; 23 de diciembre de 1935: vermes intestinales, tratamiento, timol; 2 de octubre de 1936: eczema en la pierna izquierda, tratamiento, pasta lasar; 10 de noviembre de 1937: cólico intestinal, tratamiento opio; 28 de marzo de 1938: tapón cerumen oído derecho, tratamiento carbonato de sodio". En el informe no figura la internación por una fuerte golpiza que le dieron sus compañeros de la sección carpinte-

from March 1915 to November 1922. In the Prison of Ushuaia he started school on September 17, 1934 and dropped out on October 4 the same year. He got mark "b" for primary school (first year) in the entrance exam.

Knowledge acquired in the establishment: none.

Workshops' Report: He has no former craft. Behavior and application: he willfully does what he is said; he has self-esteem, shows satisfaction for work, he is not lazy but he is absent-minded and careless; little efforts make him tired; he has worked regularly. His knowledge is enough. On entering the prison he was destined to cut slivers, later on worked in the quarry and nowadays (1935) he guards and cleans pavilions. This changes were due to medical prescription.

Professional rank: worker. Daily average wage: 0.20 cents. In his day-off he could earn two pesos.

Behavior During Confinement: The report concludes that he was punished on many occasions in the Prison of Ushuaia. December 12, 1923: five days of solitary confinement for being disobedient; December 22, 1923: twenty days of solitary confinement for writing insolent words; January 25, 1924: one day in isolation for being connected to an escape; December 23, 1924: a fortnight of simple discipline for sayings against the Direction and for trying to provide a convict

ría, en 1933, enfurecidos porque había mortificado al gato mascota del taller. Las conclusiones sobre el estado de salud y aptitudes para el trabajo son: "buen estado de salud". Debido a la constitución física deficiente, puede dedicarse a trabajos livianos.

Informe de la escuela: declara haber concurrido infructuosamente durante dos años consecutivos, desde los siete de edad, al primer grado de una escuela particular de la Capital Federal. Después, desde el año 1908 hasta 1911 inclusive, dice que concurrió a clases en la Colonia Nacional para menores de Marcos Paz, donde aprendió a leer y escribir algunas palabras y a contar hasta trescientos.

En la Penitenciaría Nacional logró aprender —desde marzo de 1915 hasta noviembre de 1922— a leer, escribir, sumar, restar y multiplicar. En el Presidio de Ushuaia, fue adscripto a la escuela el 17 de septiembre de 1934 y eliminado el 4 de octubre del mismo año. En la prueba de ingreso obtuvo la clasificación de primaria "b" (primer grado inferior). Conocimientos adquiridos en el establecimiento: ninguno.

Informe de Talleres (vida industrial)

No tiene oficio inmediato anterior. Conducta y aplicación: atiende gustosamente las indicaciones que se le hacen; demuestra amor propio, siente satisfacción por el trabajo, demuestra voluntad, no es holgazán pero es distraído y descuidado; se fatiga con pequeños esfuerzos, no ha tenido motivos y tiempo para las interrupciones en el trabajo. El grado de conocimiento es suficiente, al ingresar al penal fue destinado en el taller de corte de astillas, luego fue cambiado a las canteras y actualmente (1935), trabaja como cuartelero de los pabellones. Estos cambios se debieron a prescripción médica.

Grado profesional: peón, jornal medio obtenido: $0,20 centavos moneda nacional por día. En su vida libre podría ganar dos pesos moneda nacional por día.

Conducta durante su reclusión

En las conclusiones del informe encontramos que en la Cárcel de Tierra del Fuego se ha hecho pasible de numerosos castigos: el 12 de diciembre de 1923, cinco días de incomunicación rigurosa por desobediente; 22 de diciembre de 1923, veinte días de incomunicación rigurosa por escribir palabras insolentes; 25 de enero de 1924, un día incomunicado a raíz de un sumario por evasión de penados; 23 de diciembre de 1924, quince días de disciplina simple por hacer apreciaciones contra la Dirección y pretender pasar vicios a un recluido; 11 de noviembre de 1925, diez días de reclusión

with vices; November 11, 1925: ten days' solitary confinement for insulting an employee; September 28, 1926: two breaks canceled for trying to smuggle a pot with fat; May 27, 1928: five days incommunicado in his cell for being disobedient; December 14 1929: three days in a dark cell for fighting with another convict; July 3, 1930: a fortnight confined in a dungeon for insulting a member of staff and not obeying; September 18, 1930: ten days incommunicado in a dungeon for smuggling; May 4, 1932: five days' confinement in a dungeon for being disobedient; May 31, 1934: a fortnight without breaks for keeping forbidden things in his cell; May 7 1935: three days incommunicado in a dungeon for trying to give a written paper to another prisoner.

His parole request was rejected on September 21, 1936. The judges in charge of the decision came to the following conclusions: the psychiatric criterion must be accepted, i.e. either he is an imbecile with all the characteristic anti-social reactions or he is just a hereditary degenerate, instinctive pervert, we consider that he must be set apart from society definitively since his pathological psychology has no possible cure. This has been proved during his long confinement. For all these reasons we are of the opinion that he must stay indefinitely where he is.

The document was signed by José María Paz Anchorena and Osvaldo Loudet. There is another illegible signature.

In 1938 a new report is prepared on occasion of another parole request.

Further details are found in the section related to work: "No occupation; cutting of slivers and quarry up to 1929. He dropped for medical prescription. Since 1929 he works cleaning the "roundabout". As the former report states, he still works willfully. He earns 0.20 cents daily. He has saved about $800. He does not draw." As for discipline, it had changed completely. From 1935 on, his behavior was model according to the Classification Tribunal. He was docile and disciplined, but dangerous for being easily influenced and for his automatism. He had now news from his family since 1933. He went on writing regularly, but he received no replay.

The Prison's report says: a difficult personality. He is unsociable. He must remain confined.

The day of his death and the causes are included in this report. He died of an internal hemorrhage caused by a gastroduodenal ulcer. But in Ushuia it is said that the hemorrhage appeared after some convicts beat Godino. Apparently, the quarrel begun when he threw a cat in the firewood stove.

por insultar a un empleado; 28 de septiembre de 1926, dos privaciones de recreo por pretender pasar de contrabando un tarro con grasa; 27 de mayo de 1928, cinco días incomunicado en celda oscura por desobediente; 14 de diciembre de 1929, tres días de incomunicación en celda oscura por reñir a golpes de puño con otro penado; 3 de julio de 1930, quince días de incomunicación en celda oscura por insultar al personal y no cumplir una orden; 18 de septiembre de 1930, diez días de incomunicación en celda oscura por pretender pasar contrabando a un penado recluido; 4 de mayo de 1932, cinco días de reclusión en celda oscura por desobediente; 31 de mayo de 1934, quince días de privación de recreo por tener efectos prohibidos en la celda; 7 de mayo de 1935, tres días de incomunicación en celda oscura por querer pasar un escrito a otro penado.

El 21 de septiembre de 1936, la solicitud de libertad condicional le fue negada. Las conclusiones a que llegaron los jueces encargados de decidir fueron las siguientes:

acéptese el criterio psiquiátrico, es decir que se trate de un imbécil con todas las reacciones antisociales que algunas veces los caracterizan, o trátese de un simple degenerado hereditario, perverso instintivo, consideramos que su segregación del seno social debe ser definitiva, porque su psicología patológica es también definitiva y sin tratamiento posible, lo que por otra parte se ha comprobado durante su larga reclusión. Por todas estas razones opinamos que debe permanecer indefinidamente en el lugar donde se aloja.

Firmado: José María Paz Anchorena, Osvaldo Loudet y otra firma cuyo apellido no alcanza a leerse.

En el año 1938 se redacta un nuevo informe con motivo de una nueva solicitud del recluso de libertad condicional.Allí, en el apartado relativo al trabajo, encontramos nuevos detalles: "sin oficio, corte de astillas y canteras hasta el año 1929. Retirado por prescripción médica. Desde 1929 se le ocupa como cuartelero, encargado del barrido y limpieza de la "rotonda". Sigue demostrando, como en el informe anterior, voluntad para el trabajo. Devenga $ 0,20 centavos diarios. Tiene ahorrados alrededor de $ 800, moneda nacional. No gira." En cuanto a la disciplina cambió totalmente desde el informe anterior. La conducta, a partir de 1935 pasó a ser ejemplar, según el Tribunal de Clasificación. Dócil y disciplinado, peligroso por ser sugestionable y por su automatismo. No tiene noticias de sus familiares desde el año 1933. Continúa escribiéndoles periódicamente, sin recibir respuesta. Ha sufrido varios castigos

Alfonso Lavado —born in Ushuaia on May 18, 1921— lived with his family near the prison, facing the sea. He tells us prisoners went out to work in town helping the Municipality. "They went out to fix streets and sidewalks — that were of ground— with shovels. They also fixed the light poles that were in the middle of the street. Sometimes they fixed the yards of some houses. People gave them tobacco and chocolate in exchange.

Santos Godino, el petiso orejudo, was one of the prisoners that went out alone. He used to take mate for the convicts working at the pier..." Lavado remembers seeing him and usually accompanied him as if he were another boy. When he returned from the pier, Godino gave him the bread left. "We were not afraid of being with convicts. Santos Godino was not dangerous at all, but his mates beat him to death because he used to burn cats in a large stove that was in the main hall of the prison. He also used to attract pigeons by offering them bread, then he jabbed their eyes and let them free. He died young and suffering from TB because of the blows he received.

Although there were dangerous criminals, boys were not afraid of them. There were thieves, swindlers, doctors, lawyers, everything. There was Guillermo Mac Hannaford, a major that had had a problems relating some papers with Paraguay; Mateo Banks killed his whole family to get all their lands in Azul, but he was not allowed to go out. Vinti and Capuano brothers —the one that murdered Ayerza's son in Córdoba—, the German Bracht, who was the head of one of the first robberies at the Jeweler-watchmaker Trust in Buenos Aires; the Paraguayan Pereira that was terrible... many of them were famous. Galván was also famous, he was from Santa Cruz and had been sentenced to life imprisonment for killing seven workers."

Lavado's father was a guard and worked from 8 to 12 a. m. and from 1 to 8 p.m. Warders worked 12 running hours. They stayed in a reserve with eight beds that included a stove, telephone, everything. They had a day-off every 12 hours.

Administrative Evolution

At the beginning (1896), the prison depended on the Government of Tierra del Fuego. The following year it started to depend on the Ministry of Justice and Public Education.

In 1902, a decree of minister Joaquín V. González orders that "the superintendency and superior government of prisons and other penal or correctional establishments supported by the

disciplinarios: el último en marzo de 1935 por tratar de pasar un escrito de un penado pederasta a otro.

El consejo dado por el informe realizado en el Penal es: "Difícil. Inadaptable al medio social. Debe permanecer recluido".

La fecha de salida y el motivo figuran también en el expediente: 15 de noviembre de 1944 por fallecimiento. La causa: hemorragia interna por proceso ulceroso gastroduodenal. Sin embargo, se dice en Ushuaia que la hemorragia no fue causada por una úlcera, sino por otra paliza dada a Godino por otros internos. Aparentemente porque tiró un gato dentro de la estufa a leña.

Alfonso Lavado, nacido en Ushuaia el 18 de mayo de 1921, vivía con su familia muy cerca del penal, frente al mar. El nos cuenta que los presos salían a trabajar al pueblo colaborando con la Comisión de Fomento (Municipalidad): "Salían, arreglaban las calles y veredas que eran de tierra con palas y picos. También reparaban los palos de la luz, que estaba en el centro de la calle, algunas veces también arreglaron los patios de las casas. A cambio la gente les daba tabaco, chocolate.

Uno de los que salía y lo hacía solo, era Santos Godino, el petiso orejudo. Iba a llevarles mate a los que estaban trabajando en el muelle...".

Lavado recuerda haberlo visto pasar y acompañarlo y tratarlo como un chico más. Cuando volvía del muelle le dejaba el pan que sobraba. "No teníamos miedo de andar entre los presos. Santos Godino no era para nada peligroso, pero sus compañeros lo mataron golpeándolo y lo hacían porque él tenía la costumbre de quemar a los gatos dentro de la gran estufa que tenían en el hall principal de la cárcel. Otra cosa que hacía era atraer con pan a las gaviotas y después pincharles los ojos, y largarlas. Murió joven y tuberculoso de tantos golpes que le dieron.

A pesar de que los delincuentes que había eran peligrosos, los chicos y muchachos del pueblo no les tenían miedo: había criminales, ladrones, estafadores, doctores, abogados, de todo. Estaba Guillermo MacHannaford, un mayor del ejército que había tenido un problema de papeles con Paraguay; Mateo Banks mató a toda la familia para quedarse con todos los campos en Azul, aunque a él no lo vio nunca en la calle porque no lo dejaban salir; Vinti y los hermanos Capuano, los que mataron al hijo de Ayerza, en Córdoba; el alemán Bracht, que fue el cabecilla de uno de los primeros asaltos en Buenos Aires al Trust Joyero Relojero; el paraguayo Pereira que era terrible. Hubo mucha gente famosa. Otro preso famoso fue Galván, de la provincia de Santa Cruz, que había mata-

Nation in the territories, which are in charge of the Ministry of Justice according to the law of October 11 1898 that will come into force wit the participation of the governor. He should be present with the Direction of those establishments to keep discipline, security, hygiene, regular rationing, the good internal regimen and the foundation for the released prisoners."

This situation went on till 1921, when the government took control of the superintendency.

A new change took place in 1924. The ministry of Justice, Dr. Sagarna, decided the prison of Ushuaia should depend directly and exclusively on the Ministry of Justice and Public Instruction.

During this period conflicts between governors and directors of the prison. There was a time when the director of the prison had more power that the governor. The director was welcomed with honors when returning from a trip. The governor's receptions were unnoticed. The director had his own armed force composed of trained warders that during Cernadas' administration even fought against the police.

In October 1933 Law N° 11833 of Prisons Organization and Regimen of Penalty was put into force and the General Direction of Penal Institutes of the Nation was created to run all national prisons. From September 1935 the Prison of Ushuaia depended on this new institution.

From 1943 the Territory was ruled by a Maritime Government and the position of prison changes substantially for geopolitical reasons. This, together with the penitentiary reform of Mr. Pettinato, the Director of Penal Institutes, brought the closing of the Prison through a decree of the Executive by the end of 1947. Its site was occupied by the Argentine Navy and became the Naval Base of Ushuaia.

The Closing of the Prison of Ushuaia

On March 21 1947, president Juan Domingo Perón signed a decree ordering the closing of the prison (See appendix 8).

Immediately, the Argentine society reacted. Newspapers announced the news with important headlines. They considered this decision would bring about a more civilized penitentiary policy. This reform was simultaneous with the elimination of the use of shackles and the striped uniform. They also mistakenly though that this would bring progress to Ushuaia. On March 23 La Razón published articles entitled Fuegian Land Gained for Work (Las tierras fueguinas ganadas para el trabajo), Civilization Works

do a siete peones. Le dieron reclusión perpetua.

El horario del celador, que fue su padre, era de 8 a 12 y de 13 a 20 horas, los guardianes y guadiacárceles tenían que estar 12 por 24. Ellos tenían todos retenes de ocho camas alrededor, con vivienda y todo: estufa, teléfono. Tenían 12 horas de guardia y 24 de franco.

Evolución administrativa

En un primer momento, 1896, dependió de la Gobernación de Tierra del Fuego. Al año siguiente, 1897, comienza a depender directamente del Ministerio de Justicia, Culto e Instrucción Pública.

A partir de 1902, un decreto del ministro Joaquín V. González dispone que "la superintendencia y gobierno superior de las cárceles y demás establecimientos penales o de corrección que la Nación sostiene en los territorios y que por la ley del 11 de octubre de 1898 corresponde al Ministerio de Justicia, se hará efectiva por intermedio del gobernador, quien deberá concurrir con la Dirección de aquellos establecimientos a mantener la disciplina, la seguridad, la higiene, el racionamiento regular, el buen régimen interno de los mismos y el patronato de presos que recobran la libertad".

Esta situación se mantiene vigente hasta 1921, cuando la superintendencia pasa a depender plenamente de la gobernación. En 1924 se produce un nuevo cambio el ministro de justicia, Dr. Sagarna, resuelve que la cárcel de Ushuaia dependa directa y exclusivamente del Ministerio de Justicia e Instrucción Pública.

Durante este período se producen a menudo roces y conflictos entre los gobernadores que debían aplicar las normas establecidas y los directores que debían cumplirlas. Se llegó a casos donde el Director de la Cárcel tenía más poder que el gobernador. Cada vez que el Director llegaba de viaje era recibido con altos honores. Las recepciones al gobernador pasaban casi desapercibidas. El poder del Director era grande: tenía una fuerza bien armada y entrenada de guardiacárceles que en la época de Cernadas se llegó a enfrentar a la policía.

En octubre de 1933 se promulga la Ley Nº 11.833 de Organización Carcelaria y Régimen de la Pena por la cual se crea la Dirección General de Institutos Penales de la Nación, que tendrá a su cargo todos los institutos penales de la Nación: a partir de septiembre de 1935 la Cárcel de Ushuaia comenzó a depender de ese nuevo organismo.

Desde 1943 el Territorio tiene una Gobernación Marítima y el sustento de la existencia de la cárcel por razones geopolíticas cambia

Start with the Closing of the Prison of Ushuaia (Al desaparecer el penal de Ushuaia comienza una obra de civilización).

That same day Clarín announced on page 8: The Prison of Ushuaia Disappears as a Penal Establishment, Convicts sent to other prisons ("Desaparece como establecimiento penal la cárcel de Ushuaia", "Serán distribuidos en otras penitenciarías los reclusos").

Crítica published: "Ushuaia, the evil land, joins the Argentine feeling without disgrace (...) Crítica always asked for the closing of that prison, the southernmost of the world and one of the most somber".

Clarín and Crítica made further comments. There were several articles about the prison. The former published them between March 27 and April 2 by the ex warder Martín Chávez. The series was headlined: I Was in Ushuaia (Yo estuve en Ushuaia). The latter were issued between April 5 and 16 by a correspondent in Ushuaia: Osiris Troiani. The series was entitled: Ushuaia, a Redeemed Land (Ushuaia, Tierra redimida).

All these articles are very interesting and tried to reflect life in the prison and in Ushuaia at that time.

Repercussions of the Prison's Closing in Ushuaia

Although the closing of the prison put an end to the "black legend" where Ushuaia meant Prison, crimes expiation, a sort of earthly hell

tancialmente. Ese punto y la reforma penitenciaria promovida por el Sr. Pettinato, Director de Institutos Penales, el Presidio cierra sus puertas por un decreto del PEN a fines de l947. El predio que ocupara todo el Presidio pasa a la Armada Argentina y se transforma en asiento de la Base Naval Ushuaia.

Cierre del Presidio de Ushuaia

El viernes 21 de marzo de 1947 el presidente Juan Domingo Perón firma un decreto por el cual se clausura definitivamente el penal. (Ver Anexo 8).

Inmediatamente existió una gran repercusión en la sociedad argentina. Los diarios se hicieron eco del mismo y publicaron la noticia con importantes titulares. Estimaban que esa decisión era un paso importante para llevar una política carcelaria más civilizada. La reforma penitenciaria en curso coincidió ese año con la eliminación del uso de grilletes y el uniforme a rayas. No tan acertadamente consideraron que era importante para el progreso de Ushuaia. El domingo 23 de marzo el diario La Razón publicó un artículo sobre el tema titulado: "Las tierras fueguinas ganadas para el trabajo". "Al desaparecer el penal de Ushuaia comienza una obra de civilización", profetizó.

Ese mismo día Clarín en su página 8 anuncia: "Desaparece como establecimiento penal la cárcel de Ushuaia" y agrega: "Serán distribuidos en otras penitenciarías los reclusos".

El diario Crítica del día anterior publicaba "Ushuaia, tierra maldita, incorporase sin lacras al sentimiento argentino". "....Crítica no dejó nunca de pedir la supresión de esa cárcel, la más austral del mundo y una de las tétricas", se recordaba.

Pero para los diarios Clarín y Crítica los comentarios no terminaron allí. Aparecieron varios artículos referidos al penal. En Clarín salieron entre los días 27 de marzo y 2 de abril. Fueron escritos por el ex guardiacárcel, Martín Chaves. Tuvieron como título: Yo estuve en Ushuaia.

Las notas de Crítica aparecieron entre el 5 y el 16 de abril y fueron enviadas desde Ushuaia por un periodista del diario que viajó especialmente a visitar el lugar: Osiris Troiani. El título que unió la serie fue: Ushuaia, Tierra redimida.

Todas esas notas son muy interesantes y trataron de hacer saber a la opinión pública cómo era la vida de la cárcel y la de Ushuaia de aquel entonces.

for convicts and Tierra del Fuego settlers. As Enrique Inda remarks in his work, inhabitants lived this situation in different ways.

Lucinda Otero —born in Ushuaia in 1938— is a talkative excellent writer. Her testimony is the following.

The Prison's Closing: At that time very many people left the town because they used to work in the prison and were unemployed. Only the ones that were deeply rooted stayed. At first, the town was reduced, but soon came the Navy and a new current of updated people, of another level, arrived."

She recalls that when young they longed for a sailor friend to tell them about new things, "to bring us the world". They were forgotten. Newspapers came every six or eight months. People read from the oldest to the newest so that they could follow the news. They also found enigmatic the world beyond the mountains that separated them from Río Grande: the first contact took place in 1956, when a road to that town was built. This meant an important progress.

Progress brought by the Navy: "the dairy farm, the bringing up of rabbits, the food, fresh vegetables. Before that, everyone had its own orchard, everyone managed."

The Navy brought regular contact with the world. Ships arrived once a month, then came the plane (it was not available for everybody) and later on the road.

Repercusión en Ushuaia del cierre del Presidio

Es bien interesante lo publicado por los diarios de la época: veamos un poco que fue lo que pasó (ver Anexo 8). Si bien con el cierre se terminaba con la "leyenda negra" para la que Ushuaia era sinónimo de Cárcel, de expiación de crímenes, algo así como un infierno terrenal para los condenados y los propios pobladores de la Tierra del Fuego. Como lo indica Enrique Inda en su trabajo, los pobladores lo vivieron de distintas formas.

Veamos el relato de Lucinda Otero (nació en Ushuaia en 1938), que además de ser muy conversadora es una excelente escritora.

El cierre de la cárcel:

"En ese momento muchísima gente dejó la ciudad porque trabajaban para el presidio y se habían quedado sin trabajo, se quedaron sólo los que estaban demasiado arraigados. En un primer momento la ciudad se achicó, pero en seguida llegó la Marina lo que hizo que al pueblo llegara una nueva corriente de gente más actualizada, con otro nivel.

Recuerda que cuando eran chicos anhelaban tener un amigo marino que les contara cosas nuevas, "que les trajera el mundo". Estaban muy olvidados, los periódicos llegaban cada seis u ocho meses, la gente los juntaba y empezaba a leer el más antiguo, hasta el más nuevo, de esta manera podían seguir una noticia.

Incluso era un gran enigma saber qué había detrás de las montañas que los separaban de Río Grande: el primer contacto con el mundo fue en 1956, cuando se abre el camino hacia esa ciudad, el hecho de poder ir hacia allí era muy importante.

El progreso que trajo Marina:

"El tambo, criaban conejos, el tener el alimento, poder ir a comprar la verdura fresca. Antes de eso había vivido cada uno de su quintita, cada uno se arreglaba con lo que se podía. Con la Marina el contacto con el mundo fue más constante. Los buques iban una vez por mes, después llegó el avión, aunque no era tan fácil viajar en él y después el camino."

Para Rubén Muñoz fue algo vivido en forma diferente: Se trata de un ushuaiense cuya familia llegó a la ciudad entre 1915 —año en que llegó su abuelo, José Boscovich— y 1925 cuando llegó, procedente de Chile, su padre.

El cierre del presidio

Rubén considera este hecho como "la muerte y la destrucción del verdadero ser ushuaiense, ya nada volvió a ser igual. Las familias que

Rubén Muñoz experienced this in a different way. He is from Ushuaia and his family settled down between 1915, when his grandfather José Boscovich arrived, and 1925 when his father came from Chile.

The Prison's Closing: He thinks this meant "the death and extinction of the Ushuaian being. Nothing was the same any more. Families that had lived there for years, that had seen their houses being built from the cutting down of the trees, had to leave their posts compulsory. They had worked hard for them. In some cases they had been working for one or two years without pay just for the uniform and the food". This happened to two of Rubén's uncles who waited for a post or an assignment from Buenos Aires. The pain caused by the uprooting was equal for those who left and those who stayed losing their relatives and friends. Abandoned and destroyed houses till a short time ago were the most evident sings of the suffering of the town. Orchards and gardens were no more seen in Ushuaia.

He considers the prison might well have remained with the Navy. It would have been — he thinks— an important touristic attraction.

Trade was not seriously affected by the closing of the prison as Italians immediately arrived to build houses for the Navy. In a way, they replaced the ones that had left.

"The problem came with the Navy as they tried to get their own things: heating, provisions, etc. It was then when local trade fell and was somewhat destroyed. This was the consequence of a new time that turned out to be quite hard at first. The sergeant majors' families went shopping to the few shops left. But they had a negative attitude, as if this place were the end of the world and they said that so frequently that convinced old settlers who, little by little, felt empty for their friends abandonment. Many felt like leaving too. Then, the town was even more desolate —orchards and gardens were abandoned. This began to be a place to pass by. This was reflected in our work: we did not improve our familiar properties. They were also abandoned. But at the same time, the Navy tried to bring development to the place —through the general workshops, the new ships that brought tourists and cargo to the island and through flights as well. They helped inhabitants by loading products from coastal estancias, by bringing medical assistance even risking their lives in the dangerous waters of the strait. Although the Navy showed interest for the place, it could never neither heal the injuries nor fill the empty place left by those who had left: about 4,000 people including employees and

habían vivido allí durante largos años, que habían visto nacer sus casas a veces desde la misma tala de los árboles con que se construían, se vieron obligadas a dejar el lugar detrás de sus puestos de trabajo que con tanto sacrificio habían conseguido. En algunas ocasiones después de trabajar uno o dos años sin cobrar sueldo: sólo por el uniforme y la comida". Es el caso de dos tíos de Rubén, esperando que se produjera una vacante o que llegara, desde Buenos Aires, el nombramiento. El dolor del desarraigo fue igual para los que se fueron como para los que se quedaron, que perdieron amigos y parientes, el signo más evidente de lo que sufrió la ciudad se notó hasta hace relativamente poco tiempo y es el abandono de las casas que se iban destruyendo y el de los jardines y quintas que nunca más volvieron a verse en Ushuaia.

Él piensa que la cárcel podría muy bien haber subsistido con la Marina que fue la que la desplazó; hubiera sido un importante polo de atracción turística.

"Al irse la cárcel la actividad comercial no se vio muy afectada ya que inmediatamente llegaron los italianos que venían a construir las casas para Marina, y que ocuparon en cierta forma el lugar dejado por los que se habían ido.

Lo malo llegó junto con la Marina, porque ellos tratan de aprovisionarse de sus cosas, calefacción, alimento, etc., y es ahí cuando decae el comercio local, en cierto modo lo destruyó. Fueron las consecuencias de una nueva época, que en un principio resultó bastante dura, las familias que venían con los suboficiales eran las que recorrían y compraban en los pocos negocios que habían quedado en pie. Pero venían con un mensaje muy negativo, como si ese lugar fuera el fin del mundo y tanto lo afirmaban que poco a poco iban convenciendo a los antiguos pobladores que se sentían vacíos, por el abandono de los amigos. Y hubo muchos que empezaron a tener ganas de dejar también ellos el lugar, entonces el pueblo se vio todavía más desolado: se abandonó el cuidado de las quintas, de los jardines, etc. y esta comenzó a ser —incluso para los que habían vivido siempre allí— una tierra de paso. Esto se demostraba en el hecho de que trabajamos pero sin perfeccionar lo que teníamos, ni mantenerlo, solo lo explotábamos, la posesión familiar pasaba a ser un elemento abandonado más. Pero al mismo tiempo la Marina como institución desde un principio trató de llevar el fomento al lugar, tanto por medio de los talleres generales, como por los nuevos barcos que recorrían toda la isla con turismo y con carga, también con los vuelos. Ayudaban al poblador recogiendo el

their families left. Practically half the village."

It is evident that conclusions are somewhat contradictory, but it is important to consider what people from the place experienced instead of what the erudite sat at a café on Avenida de Mayo think about.

Juan Bernales worked as warder of the prison and from his point of view "the 550 prisoners were taken to Río Gallegos and Trelew. All the uniformed men left, and the rest started to work for the Navy. The ones employed in workshops stayed there.

The Prison or the Navy?

"Everything was monotonous with the prison. When the Navy arrived, activity and progress began."

Alfonso Lavado —born in Ushuaia on May 18 1921; son of Luis Lavado and Teresa Rodríguez— is of the opinion that: "When the prison was closed, guard and warders left as well as the 400 prisoners. The Navy took over and brought progress with aviation, ships —there was a better communication. But progress came to Ushuaia little by little starting in 1957 or 1958, during governor Campos' administration, when "del lago" inns —Escondido, Fagnano, Lapataia— were built. He ruled for three or four periods. When the Navy came we had a good life standard as good as with the prison. The prison's employees were given provisions every three months; bread and meat every other day; potatoes, onions, rice, cereal. Sometimes, when they had to reject new provisions as their

producto del campo, en las estancias de la costa, con los auxilios médicos y lo hacían a riesgo de su integridad física, por lo peligrosas que son las aguas del estrecho. Pero aunque demostró siempre una gran preocupación por el lugar, nunca pudo curar las heridas ni llenar el vacío dejado por los que se habían ido: se calcula que el personal y sus familias que dejaron el lugar fueron aproximadamente unas cuatro mil personas, prácticamente la mitad del pueblo."

Evidentemente las conclusiones son algo contradictorias pero es importante ver lo que sintieron y vivieron los que estaban en el lugar y no los eruditos sentados en un sillón de una confitería de la Avenida de Mayo.

Juan Bernales fue guardiacárcel del presidio y opina de la siguiente forma:

"A los aproximadamente 550 presos se los llevaron a Río Gallegos y Trelew. Los uniformados se fueron todos; el resto no porque los absorbió la Marina, los que trabajaban en los talleres se quedaron ahí.

¿Presidio o Marina?

"Con el presidio todo era monotonía, cuando llegó la Marina empezó la actividad, y el progreso."

Alfonso Lavado

Para Alfonso Lavado, nacido en Ushuaia el 18 de mayo de 1921, sus padres fueron Luis Lavado y Teresa Rodríguez, la visión que tuvo fue la siguiente: "Cuando se fue el presidio, se fueron los guardianes y guardicárceles de paso y los cuatrocientos presos y todo eso lo agarró Marina que trajo progreso porque vino con la aviación, los barcos y hubo más comunicación, pero siempre de a poquito. El progreso de Ushuaia empezó en el 1957 o 1958, en la época del gobernador Campos, cuando se hicieron las hosterías del lago, Escondido, Fagnano, Lapataia. Estuvo tres o cuatro veces de gobernador.

Cuando se fue la cárcel Marina absorbió todo. Estábamos muy bien."

Dice que no se pueden quejar porque estuvieron tan bien como con la cárcel. Porque recuerda que con el presidio se vivía también muy bien. A los empleados les daban cada tres meses los víveres, el pan y la carne día por medio, papa, cebolla, arroz, cereales. Había veces que cuando les tocaban buscar los víveres de nuevo tenían que dejarlos porque no tenían dónde ponerlo, tenían la despensa llena, incluso leche en lata Vital. La bolsa del pan la colgaban ahí y al día siguiente tenían el pan fresquito, recién hecho, era riquísimo el pan dulce, la factura. Los presos se convertían, de

pantries were full; they even had Vital condensed milk. Every morning they got fresh bread. It was tasty.

Prisoners became really specialized bakers, cooks, butchers. They bred pigs, cows, poultry, everything. Convicts prepared stew and roasted suckling pig, and guards delicious turkey for New Year's Eve.

"When the Navy arrived they were also given money vouchers to exchange for bread at the Base bakery. They also got milk and cream from a dairy farm where there were special Hollander and semi-Hollander cows. We were really comfortable. They left a pot with milk every day and another with cream on Mondays or Fridays."

In one way or the other, everybody agrees that the "Navy" was a synonym for progress on a large scale. In fact, the situation had already changed in 1943 when the Maritime Government was established and the power of the Director of the Prison weakened completely. As we have mentioned, the power of the Director overcame the Governor's in many cases. Victoria Padín shows us the other side of trade at the time of the change —of course, some were benefited, others not:

Victoria Padín

Her parents were the Spanish immigrants Vicente Padín Otero and Carmen Moreira, who came from Vigo. Her father came to Ushuaia in 1929, as his brother was already working in the prison so he started working there too.

He saved money for three years during

tanto trabajar en lo mismo, en señores panaderos, cocineros, carniceros; tenían criaderos de cerdos, de vacas, gallinas, patos, pavos, de todo. Hacían estofados. Para fin de año se mandaban una lechonada, ellos mismos, los penados y los guardianes para fin de año les preparaban unos pavos muy bien cocinados.

"Cuando llegó Marina también nos daban vales para que fuéramos a buscar el pan a la panadería de la Base, también la leche y la crema del tambo, adonde traían vacas especiales holandesas y semi-holandesas: todo con vales. La comodidad que teníamos antes era enorme. Nos dejaban los tarritos: los lunes o viernes, crema, y la leche todos los días."

Todos en una u otra medida coinciden en que "Marina" fue sinónimo de progreso y a gran escala. En realidad la situación ya cambió desde 1943 cuando se establece la Gobernación Marítima y el poder que tenía el Director del Presidio decayó totalmente. Como vimos, el poder del Director fue en muchos casos mayor que el del Gobernador debiendo éste ceder ante la presión desde la Cárcel. Victoria Padín nos muestra otra cara del comercio en el momento del cambio: lógico algunos se perjudicaron y otros se beneficiaron:

Victoria Padín

Sus padres fueron Vicente Padín Otero y Carmen Moreira, inmigrantes españoles oriundos de Vigo. Otero vino a Ushuaia, en 1929, llamado por su hermano que ya trabajaba en la cárcel, lugar donde él también empezó a trabajar, después de ahorrar durante tres años, durante los cuales también sembraba su quinta, pudo traer a su esposa y a sus dos hijos mayores, nacidos también en España.

Vivían en Maipú y la esquina de la pasarela, un lugar en ese momento muy aislado, cerca del cementerio que en ese momento era muy chico. Afirma Victoria que en la cárcel trabajaba la mayoría de la población, que era el medio de vida. Recuerda a los presos sentados a ambos lados de los vagones yendo hacia el Monte Susana a cortar la leña, para preparar rajones, la llevaban hasta el actual muelle naval, donde la apilaban. Con eso mantenían encendidas las calderas que daban luz al pueblo.

Ella concurrió de chica a la Escuela N° 1 "...como la mayoría de los niños de ese entonces, jugaban al sapo y a saltar la soga. Mi padre trabajó en la cárcel desde 1929, año en el que llegó, hasta 1934 cuando tuvo un problema: los presos estaban construyendo la Escuela N° 1, que estaba en la calle San Martín, donde hoy está la Biblioteca. Mi padre los estaba custodiando, era guardián, y uno de los presos se fugó y se escondió, por consiguiente todos los

which he also cultivated an orchard. Then, he could bring his wife and his two older sons, also born in Spain.

They lived in Maipú St. at the corner of the footbridge, a place quite isolated at that time, near the cemetery which was quite small. Victoria says most people earned their living working in the prison.

She recalls prisoners sitting on both sides of the wagons traveling to Monte Susana to cut firewood and prepare the wood to take it to the present naval pier, where it was piled up. With that material they fed the boilers that provided the town with light.

She went to school at Escuela N° 1: "...most children at that time played sapo and jumped with a rope. My father worked in the prison from 1929, when he arrived, to 1934 when he had a problem: prisoners were building Escuela N°1 (the school) that was situated on San Martín St., where nowadays is the library. My father was watching them, he was a guard, and one of the prisoners escaped and hid, so all the ones that were on watch were also arrested to inquire if they had helped the fugitive. Some days later, the prisoner was found. He was hidden under sawdust. My father was set free, but he resigned."

From then on, he devoted himself to their orchard and provided the Navy with all kinds of vegetables and he was also a fisherman. In 1940 he opened a shop called Los Once Herma-

que estaban de guardia, también fueron detenidos para investigar si habían colaborados con él. Después de algunos días el preso fue encontrado, estaba escondido debajo del aserrín, en ese momento mi padre es dejado en libertad pero ya no vuelve a trabajar al presidio, renuncia.

A partir de entonces se dedicó exclusivamente a la quinta de la que vivieron, proveyendo a la Armada, eran de todo tipo de verduras, y también pescaba. En 1940 instaló un comercio que se llamó 'Los Once Hermanos', donde trabajó toda la familia, que también proveía a la cárcel.

También tenían vacas, de las que sacaban la leche que también vendían, en invierno faenaban un animal para el consumo, al igual que los cerdos. El predio en el que cultivaba era una extensión de media manzana sobre Maipú entre Onas y San Martín, allí sus padres cultivaban perejil, arvejas, lechuga, repollo, zanahoria, albahaca, nabos. Era muy importante, ya que alcanzaba para los trece miembros de la familia y para vender. También pescaban, con un velerito llamado Piedrabuena, traían mejillones, cholgas, pulpos, erizos, centolla.

Fugas

Veían pasar a los presos todos los días y como chicos inocentes que eran los saludaban con naturalidad, pero ellos rara vez contestaban a sus saludos. Los recuerda con sus birretes de rayas amarillas y azul marino, el número en el birrete, sus botines negros, sobretodos verdosos con rayas. Cuando se fugaban sentían miedo pero ellos nunca molestaron ni le hicieron daño a nadie. Recuerda una oportunidad cuando encontraron a unos presos fugados en un aserradero, escondidos detrás de unos rollizos, en la noche muy oscura y con mucho viento, oir los ruidos de las balas, era todo un misterio. Al mediodía pasaban los vagones con alguno que habían capturado, herido o muerto, en esos momentos se cerraban los postigos de la casa y nadie se movía. Recuerda a uno que escapó y nunca más se encontró, piensan que fue pasado a Chile. Recuerda, también ella, al preso que estuvo escondido en la Iglesia, dice que después el detenido contó que escuchaba cuando el sacerdote les enseñaba el catecismo y el ensayo del coro de señoritas del pueblo.

El cierre de la cárcel

Cuando la cárcel se fue el comercio de la familia empezó a trabajar mejor: llegó una colectividad de italianos y la Armada ocupó las instalaciones de la cárcel. Muchas familias que

nos, that sold goods to the prison, where the whole family worked. They also bred cows from which they obtained milk to sell. In winter, they slaughtered cattle and pigs to eat. Their orchard was half a block large on Maipú St., between Onas and San Martín St. Her parents grew parsley, green peas, lettuce, cabbages, carrots, sweet basil, turnips. This orchard was very important as it provided food for the thirteen members of the family and its products were sold. They also had a small sailing boat called Piedrabuena and caught mussels, small mussels, octopi, puffers and spider crabs.

Escapes

They usually saw prisoners passing by and, as innocent children, they greeted convicts that rarely replied. She recalls them in their yellow and navy blue striped caps, the number on the cap, their black booties and greenish striped overcoats. When prisoners escaped, children were frightened but they were never bothered or injured. She remembers the occasion when prisoners were found in the sawmill, hidden behind some logs. Hearing shots in a dark and windy night was a mystery. The following day at noon they saw wagons transporting some caught prisoner, either dead or wounded. At that moment, windows were shut and nobody moved. She remembers about one prisoner that escaped and was never found. It is thought that he went to Chile. She also remembers about the convict hidden in the church. She says that when he was caught, he said he used to hear the priest teaching catechism and the rehearsal of the choir of the town.

The Closing of the Prison

When the prison was closed, the family's trade flourished. Italians came and the Navy occupied the prison's premises. Many families, friends, schoolmates Victoria knew left Ushuaia. But there were others that came back to town after retiring and other families came with the Navy to settle down. Victoria is of the opinion that the Navy brought progress —thanks to the Navy, Ushuaia became what the place is today. She herself, as an employee of the institution, feels thankful and has respect for its men. Goods, mail and newspapers, among other things, arrived in the Navy's ships which could take six months in reaching Ushuaia. The only media they were in touch with was Radio El Mundo.

ella conocía, amigos, compañeros de la escuela se fueron, pero también hubo muchas que cuando terminaron su período de trabajo volvieron al pueblo, además empezaron a llegar otras familias con la Armada, que se radicaron allí. La Armada llevó el progreso; gracias a la Armada Ushuaia es hoy lo que es. Ella misma, como empleada de la institución, siente un gran reconocimiento y respeto hacia sus hombres. En los buques que llevaron llegaba la mercadería, la correspondencia, los diarios que hasta entonces demoraban hasta seis meses. La única comunicación que podían escuchar era la radio, sobre todo Radio El Mundo.

Veamos un caso donde la familia se vio dividida: Margarita Wilder, nació en Ushuaia en 1931, de madre chilena y padre inglés. Ella cuenta: "...recuerdo esa época con mucha pena porque se fue la cárcel y con ella muchos empleados, incluyendo a mi padre. Se fue a Río Gallegos, en un primer momento se sintió mucho porque quedaron pocos. Después empezó a llegar cada vez más gente de Marina y el modo de vida empezó a cambiar, para mejor, porque era gente buena...".

There were cases of families that had to split up: Margarita Wilder was born in Ushuaia in 1931, her mother was Chilean and her father, English. Says Margarita: "I remember that time with a deep grief because with the closing of the prison many employees left, including my father. He went to Río Gallegos. At first, it was shocking as there were few people left. Then, more and more people of the Navy came and our lifestyle started to change: it improved, because they were nice people..."

PLANO DE PRISION EN LA ISLA COOK

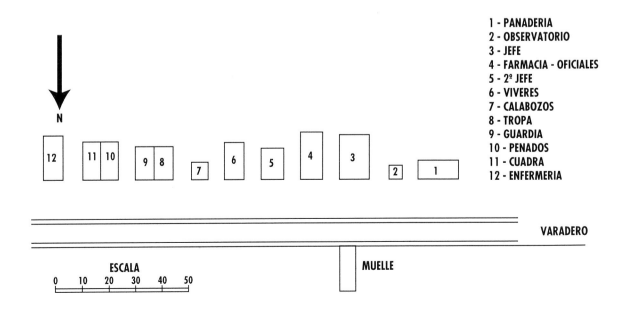

1 - PANADERIA
2 - OBSERVATORIO
3 - JEFE
4 - FARMACIA - OFICIALES
5 - 2º JEFE
6 - VIVERES
7 - CALABOZOS
8 - TROPA
9 - GUARDIA
10 - PENADOS
11 - CUADRA
12 - ENFERMERIA

VARADERO

ESCALA
0 10 20 30 40 50

MUELLE

PLANO TOPOGRAFICO
DE LA CARCEL DE USHUAIA

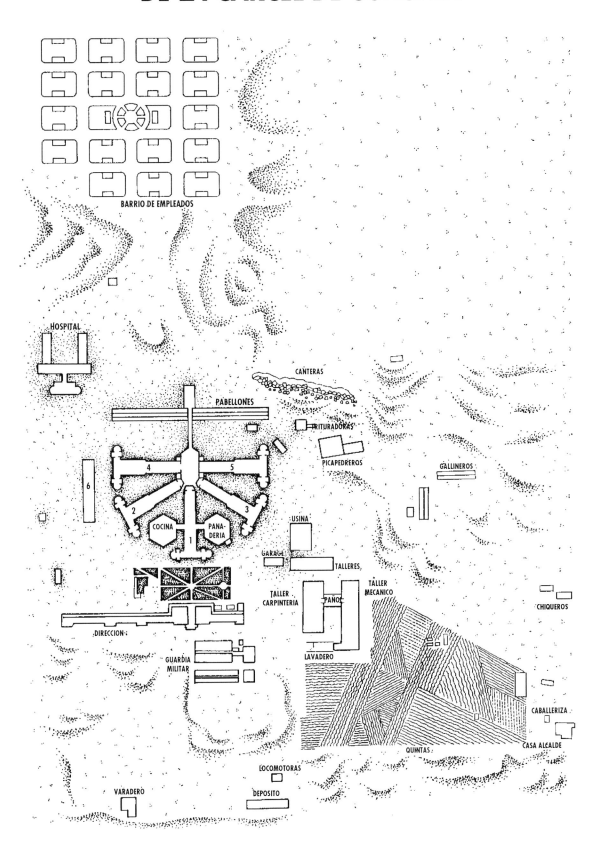

BARRIO DE EMPLEADOS

HOSPITAL

CANTERAS

PABELLONES

TRITURADORAS

PICAPEDREROS

GALLINEROS

4   5

6

2   3

COCINA   PANA-
DERIA

1

USINA

GARAGE

TALLERES

TALLER
CARPINTERIA

PAÑOL

TALLER
MECANICO

CHIQUEROS

DIRECCION

GUARDIA
MILITAR

LAVADERO

QUINTAS

CABALLERIZA

CASA ALCALDE

LOCOMOTORAS

VARADERO

DEPOSITO

Bibliografía
Bibliography

Becerra, Alfredo. "Fuga de los Estados" de Caja Editora 1994 y "Los prófugos de la isla de los Estados" de Caja Editora 1995.

Braun Menéndez, Armando. "Historia de Tierra del Fuego" publicada en Historia Argentina Contemporánea. Editada por la Academia Nacional de la Historia.

Cutolo, Vicente Osvaldo. Nuevo Diccionario Biográfico.

García Basalo, Juan Carlos. "Presidios Militares Australes" De. Nueva Vida. Diciembre de 1986.

García Basalo, Juan Carlos. "La colonización penal de la Tierra del Fuego". Ed. Marymar. 1988.

Glaiser, Néstor S. Aparicio M. "Los prisioneros del 'Chaco' y la fuga de Ushuaia". 1934.

Muratgia, Catello. "Antecedentes; Presidio y Cárcel de Reincidentes, Tierra del Fuego". 1909 Imprenta Tragant.

O'Connor, Juan José en: "Revista de Doctrina y Acción Penitenciaria" año 4, N0. 6 de 1990 : artículo titulado "Presidio de Ushuaia, confidencias y experiencias de un criminólogo. Relatos del Dr. Ángel E. González Millán".

Payró, Roberto J. "La Australia Argentina". Edición de la Imprenta de "La Nación" 1898.

Ramírez, Manuel. "Ushuaia, la Ergástula del sur". Editorial Claridad. 1934.

Del Ríe, Aníbal. "Ushuaia, el presidio maldito". Editorial Boston. 1933.

Rojas, Ricardo. "Archipiélago". Editorial Losada 1942.

Sergi, V. "Historia de los Italianos en la Argentina". "Ushuaia. 1884-1984. Cien años de una ciudad argentina". Editado por la Municipalidad de Ushuaia bajo la dirección de Arnaldo Canclini. 1984.

Artículos de la revista Todo es Historia, dirigida por Felix Luna.

Jimena Saenz. "Radicales en Ushuaia". Noviembre de 1973, N° 78.

Osvaldo Bayer. "Simón Radowitsky ¿mártir o asesino?". Agosto de 1967, N° 4.

Tabaré de Paula. "Carlos Gardel, mártir orillero". Julio de 1969, N° 27.

Gerardo Bra. "Dónde nació Carlos Gardel". Diciembre de 1994, N° 329.

Armando Alonso Piñeiro. "Alta traición, el caso Mac Hannaford". Diciembre de 1978, N° 20.

Marcelo Vallejos. "Los crímenes del petiso orejudo". Julio de 1993, N° 312.

Becerra, Alfredo. *Fuga de los Estados, Caja Editora (1994) and Los prófugos de la isla de los Estados, Caja Editora (1995).*

Braun Menéndez, Armando. *Historia de Tierra del Fuego from Historia Argentina Contemporánea, Academia Nacional de Historia.*

Cutolo, Vicente Osvaldo. *Nuevo Diccionario Biográfico.*

García Basalo, Juan Carlos. *Presidios Militares Australes, Nueva Vida (December, 1986).*

García Basalo, Juan Carlos, La colonización penal de la Tierra del Fuego, Marymar (1988).

Glaiser, Néstor S. & Aparicio, M., Los prisioneros del Chaco y la fuga de Ushuaia (1934).

Muratgia, Catello, Antecedentes; Presidio y Cárcel de Reincidentes, Tierra del Fuego, Imprenta Tragant (1909).

O'Connor, Juan José. *Presidio de Ushuaia, confidencias y experiencias de un criminólogo. Relatos del Dr. Ángel E. González Millán, from Revista de Doctrina y Acción Penitenciaria N° 6 (1990).*

Payró, Roberto J. *La Australia Argentina, Imprenta de la Nación (1898).*

Ramírez, Manuel. *Ushuaia, la Ergástula del sur, Editorial Claridad (1934).*

Del Ríe, Aníbal. *Ushuaia, el presidio maldito, Editorial Boston (1933).*

Rojas, Ricardo. *Archipiélago, Editorial Losada (1942).*

Sergi, V. *Historia de los Italianos en la Argentina.*

Canclini, Arnaldo. *Ushuaia 1884-1984. Cien años de una ciudad argentina, Municipalidad de Ushuaia (1984).*

Articles from Todo es Historia magazine. Editor in chief: Félix Luna

Saenz, Jimena. *Radicales en Ushuaia (N° 78, November 1973).*

Bayer, Osvaldo. *Simón Radowitsky ¿mártir o asesino? (N° 4, August 1967).*

De Paula, Tabaré. *Carlos Gardel, mártir orillero (N° 27, July 1969).*

Bra, Gerardo. *Dónde nació Carlos Gardel (N° 329, December 1994).*

Alonso Piñeiro, Armando. *Alta traición, el caso Mac Hannaford (N° 20, December 1978).*

Vallejos, Marcelo. *Los crímenes del petiso orejudo (N° 312, July 1993).*

"Revista Penal y Penitenciaria".
Año III enero - marzo de 1938. Homenaje al Fundador de la Cárcel de Ushuaia. Tomo IV - 1939. Tomo V - 1940. Año VI enero- marzo de 1941.Tomo VIII 1943. Tomo IX 1944. Tomo XIII 1947.
Revista de "Doctrina y Acción Postpenitenciaria". Año 4- N° 6. "Presidio de Ushuaia", páginas 49-55.

Expediente Judicial de Cayetano Santos Godino. Facilitado por el Museo Penitenciario.

Revista Mundo Policial N° 33. Página 14: artículo llamado "El Trébol Sin Suerte", aparecido en una sección de la revista titulada Galería del Crimen XVII.

Diarios
La Nación- Crítica- Clarín.

Testimonios de antiguos pobladores: Margarita Wilder, Lucinda Otero, Josefina De Estabillo, Luz Marina Jeréz, Victoria Padín, Manuel Buezas, Osvaldo Lavado, Rubén Muñoz, Juan Bernales y Julio Canga.

Fotografía:
Flia. de Alfonso Lavado y Luz Marina Jerez, Roberto Quinteros, Griselda Perez de Plaza, Marta Sanz, Museo Penitenciario "Antonio Ballve", Museo del Fin del Mundo, Museo Marítimo de Ushuaia, Archivo General de la Nación, Hemeroteca de la Biblioteca Nacional, Hemeroteca del Consejo Deliberante de la ciudad de Buenos Aires, Depto. de Estudios Históricos Navales "Casa Amarilla" y al Museo Naval de la Nación.

Revista Penal y Penitenciaria
Homenaje al Fundador de la Cárcel de Ushuaia (Year III, January - March 1938). Volume IV (1939). Volume V (1940). Year VI January - March (1941). Volume VIII, 1943. Volume IX, 1944. Volume XIII, 1947).
Presidio de Ushuaia, from Doctrina y Acción Penitenciaria magazine. *Year 4, N° 6 (pp. 49-55).*

Cayetano Santos Godino's dossier. Supplied by the Penitentiary Museum.

*El Trébol Sin Suerte, from **Mundo Policial magazine** (N° 33, p. 14). Published in a section called Galería del Crimen XVII.*

Newspapers:
La Nación, Crítica, Clarín

Old settlers' testimonies: Margarita Wilder, Lucinda Otero, Josefina De Estabillo, Luz Marina Jeréz, Victoria Padín, Manuel Buezas, Osvaldo Lavado, Rubén Muñoz, Juan Bernales y Julio Canga.

Photographs:
Alfonso Lavado and Luz Marina Jerez's family, Roberto Quinteros, Griselda Perez de Plaza, Marta Sanz, Penitentiary Museum "Antonio Ballvé", Museo del Fin del Mundo (End of the World Museum), Maritime Museum of Ushuaia, Archivo General de la Nación (General Archives of the Nation), Biblioteca Nacional (Newspapers from the National Library), Consejo Deliberante of Buenos Aires (Newspapers library of the Council House), Historical Naval Studies Department "Casa Amarilla" and the Museo Naval de la Nación (National Naval Museum).

Anexos
Appendices

Anexo 1

El Presidio Militar, instalado en Puerto Golondrina, comienza a funcionar el 17 de diciembre de 1902. Al poco tiempo cuenta con una casa para oficiales, una cuadra para el batallón de guardia y lugar para alojar a 150 penados en una cuadra con dos pabellones. Entre otras construcciones hay una despensa, depósitos y algunos talleres. Fusión del Presidio Militar de Ushuaia y del Presidio y Cárcel de Reincidentes de Tierra del Fuego.

Buenos Aires, Octubre 14 de 1911

Considerando que es conveniente reunir en uno solo los dos establecimientos penales actualmente existentes en Ushuaia, por cuanto:

1º) La gran mayoría de los penados del Presidio Militar, son en la actualidad presos civiles.

2º) Que no existe razón fundamental de régimen o disciplina que se oponga a que el escaso número de penados militares cumplan su condena en el Presidio Civil.

3º) La fusión de ambos presidios ofrece positivas ventajas en cuanto a la uniformidad del régimen y métodos penales, administración, economía y organización del trabajo de los penados.

El presidente de la Nación Argentina en Acuerdo de Ministros:

Resuelve

Artículo 1º: El Presidio Militar de Ushuaia, pasa a depender del Ministerio de Justicia e Instrucción Pública, desde la fecha del presente decreto, refundiéndose en el Presidio y Cárcel de Reincidentes de Tierra del Fuego.

Artículo 2º: Inmediatamente que las comodidades del Presidio y Cárcel de Reincidentes de Tierra del Fuego lo permitan se destinará en este un local especial y exclusivo para los penados militares.

Artículo 3º: Hasta tanto no haya sido incluido en el presupuesto del Departamento de Justicia, el aumento de personal que esta fusión exige, al Presidio y Cárcel de Reincidentes de Tierra del Fuego, el Departamento de Marina pondrá a disposición del de Justicia, el Personal actualmente asignado al Presidio Militar, cuyos sueldos seguirán abonándose con imputación al Presupuesto de Marina.

Artículo 4º: Comuníquese, etc.

Fdo. Saenz Peña

J.P. Sáenz Valiente

J.M. Garro

G. Velez

José M. Rosa

Desde entonces y hasta su cierre definitivo, en 1947, la cárcel de Ushuaia tendrá una nueva clase de huéspedes: los penados militares.

Appendix 1

The Military Prison —set up in Puerto Golondrina— starts working on December 17 1902. Soon afterwards, a house for officers, a squad for the guard battalion and a square made up of two pavilions to lodge 150 convicts are built. Among other buildings there is a pantry, depots and some workshops.

The merge of the Military Prison of Ushuaia with the Penitentiary and Second Offenders Prison of Tierra del Fuego.

Buenos Aires

October 14, 1911

Bearing in mind that it is convenient to merge the two penal establishments currently situated in Ushuaia, inasmuch as:

1°) At present, most of the convicts in the Military Prison are civil prisoners.

2°) There is no fundamental regimen or discipline reason preventing the limited number of military convicts to serve their sentences in the Civil Prison.

3°) The merge of both prisons offers positive advantages as regards the uniformity of regimen, penal methods, administration, economy and the organization of the convicts' work.

The President

of the Argentine Nation

in Agreement with the Ministers:

Resolves

Article 1°: The Military Prison of Ushuaia depends on the Ministry of Justice and Education from the date of the present decree, remerging in the Second Offenders Prison of Tierra del Fuego.

Article 2°: As soon as the facilities of the Second Offenders Prison of Tierra del Fuego are enough, a special and exclusive premise will be destined to the military convicts.

Article 3°: Until the increase of staff that this merge —the Second Offenders Prison of Tierra del Fuego— requires is included in the budget of the Department of Justice, the Navy Department will provide the Justice's with the staff currently working in the Military Prison whose salaries will go on being paid on charge of the Navy's Budget.

Article 4°: Impart, etc.

Fdo. Sáenz Peña

J. P. Sáenz Valiente

J. M. Garro

G. Vélez

José M. Rosa

From then on, and till its definitive closing in 1947, the prison of Ushuaia would have a new sort of lodgers-military convicts.

Anexo 2

Ley:

Art. 1º- Las penas correccionales o de prisión que los Jueces de la Capital y territorios federales impongan a los reincidentes por segunda vez, serán cumplidas en los territorios nacionales del Sud que el Poder Ejecutivo designe al efecto.

Art. 2º - Fijado que sea el punto o puntos a que se refiere el artículo precedente, el Poder Ejecutivo procederá a la traslación de los condenados cuyas penas puedan ser debidamente cumplidas en las instalaciones que prepare.

Art. 3º- Los reincidentes por segunda vez no gozarán de los beneficios acordados por el artículo 49 del Código Penal y serán sometidos a trabajos de talleres u otros, con exclusión de los determinados en el artículo 60 del mismo Código.

Art. 4º- Autorízase al Poder Ejecutivo para hacer los gastos que demande el cumplimiento de esta ley.

Art. 5º- Comuníquese al Poder Ejecutivo.

Dada en la Sala de Sesiones del Congreso Argentino, en Buenos Aires, a diecinueve días de Diciembre de mil ochocientos noventa y cinco.

Carlos Doncel Francisco Alcobendas
Adolfo Labougle Alejandro Sorondo
Sec. del Senado Secretario de la C. de DD

El 3 de enero de 1896 se firma un decreto. Decreto Designando al Territorio de la Tierra del Fuego para la Ejecución de la Ley Nº 3.335.

Departamento de Justicia

Buenos Aires, enero 3 1986

Debiendo designarse, para la ejecución de la ley número 3.335, el territorio federal en que deberán cumplir sus condenas los reincidentes por segunda vez y disponer lo necesario para la oportuna instalación de los mismos,

El Presidente Provisorio del Honorable Senado en ejercicio del Poder Ejecutivo,

Decreta

Art. 1º- Desígnase el territorio de la Tierra del Fuego para el cumplimiento de las penas correccionales o de prisión que los jueces de la Capital y Territorios Federales impongan a los reincidentes por segunda vez.

Art. 2º- La gobernación del mismo territorio proyectará la organización del establecimiento penal y la reglamentación necesaria, recabará del Ministerio de Justicia los fondos que repute indispensables para las instalaciones provisorias y se hará cargo de la atención y custodia de los detenidos.

Art. 3º- Comuníquese, publíquese y dese el Registro Nacional.

Roca
Antonio Bermejo.

Appendix 2

Law:

Art. 1º- Prison or corrective punishments imposed by Judges of the Capital and Southern federal territories on second offenders for the second time will be served in Southern national territories designated by the Executive for that purpose.

Art. 2º- Once the item or items referred to in the previous article, the Executive will proceed to transfer the convicts whose sentences may be duly served in the installations provided by it.

Art. 3º- Second offenders for the second time will not enjoy the benefits agreed on by article 49 of the Penal Code and will be subjected to workshop or other tasks, except for the ones determined in article 60 of the same Code.

Art 4º- The Executive is empowered to spend as much money as the fulfillment of this law demands.

Art 5º- Impart to the Executive.

Board of sessions of the Argentine Congress in Buenos Aires on (December 19,1895).

Carlos Doncel Francisco Alcobendas
Adolfo Labougle Alejandro Sonrondo
Secretary to the Senate Secretary to the Chamber of Deputies

On January 3, 1896 a decree is signed

Decree Designing the Territory of Tierra del Fuego for the Execution of Law Nº 3.335.

Department of Justice

Buenos Aires

January 3, 1896

Having to designate, for the execution of Law number 3.335, the federal territory in which second offenders for the second time will have to serve their sentences and having to provide everything needed for their opportune settling down,

The Provisory President of the Senate in charge of the Executive,

Decrees

Art. 1º- The territory of Tierra del Fuego is designated for the serving of corrective or prison punishment that judges of the Capital and Federal Territories impose on second offenders for the second time.

Art. 2º- The government of the same territory will plan the organization of the penal establishment and the regulation needed; it will request from the Ministry of Justice the funds reputed to be indispensable for the provisory installations and will be in charge of the attention and custody of the arrested.

Art. 3º - Impart, issue and enter National Register.

Roca
Antonio Bermejo

Anexo 3

Los primeros 14 presos eran: Enrique Barozo, José Boretti, Juan Brun, Delfino Cremandi, Arturo Debeonardi, Hipólito Estevez, Manuel González, Francisco Gómez, Adolfo Lara, Gerardo Magil, Carmelo Marelli, Vicente Mariño, Juan Olivieri y Juan Pomes.

El 17 de enero, el diario La Nación, con el título Colonia de Reincidentes, informa:

"Ayer salió para Puerto Deseado, Santa Cruz, Río Gallegos, Punta Arenas, Ushuaia, Isla de los Estados y Malvinas, el transporte Ushuaia. Lleva 11 pasajeros de cámara y 24 de proa.

A proa lleva 9 mujeres de las detenidas en el Departamento de Policía y 11 penados de la penitenciaría, para ser ocupados en la colonia de reincidentes que se está formando en Ushuaia, y en la cual se establecerá taller de mecánica, de carpintería, de obra blanca, y de ribera, además del aserradero que desde hace algún tiempo trabaja. Tanto las mujeres como los hombres van voluntariamente.

Es opinión del gobernador, teniente coronel Godoy, que toda esta gente puede ser utilizada con bastante provecho en aquellas apartadas costas; sólo preocupa esta dificultad con la que tropezará, la falta de ropa para las mujeres que van y que vayan después, por lo que espera que alguna sociedad de beneficencia no ha de desperdiciar la oportunidad que se le presenta de hacer una obra buena, mandando algunas ropas."

El 18 de enero, el mismo diario continúa informando sobre el viaje:

La sublevación en el Ushuaia

"Ayer a las 7 a.m., se presentó en la ayudantía de la Boca, el comandante administrador del transporte Ushuaia y manifestó que después de zarpar anteayer de la dársena sur con rumbo al sur, ocho presos de los que llevaba a Tierra del Fuego, se le sublevaron en la barra, por lo que se vio obligado a anclar a la altura de la boya Nº 4 y regresar a tierra a pedir el auxilio necesario en esa oficina, para hacer guardar el orden a bordo.

"En el acto salieron en un remolcador los ayudantes Silva y Villalonga con un cabo y diez marineros para conducir presos a los revoltosos. Así que llegó al transporte la autoridad marítima, los sublevados se entregaron sin oponer resistencia y fueron conducidos a la ayudantía, donde los recogió a las 3.30 p.m. un carro de la empresa Villalonga con cuatro agentes de seguridad y un cabo, llevándolos nuevamente a la penitenciaría.

...El cabecilla de la sublevación era Florentino A. Solá, alias el tano, los demás eran, Salvador

Appendix 3

The first fourteen prisoners were: Enrique Barozo, José Boretti, Juan Brun, Delfino Cremandi, Arturo Debeonardi, Hipólito Estevez, Manuel González, Francisco Gómez, Adolfo Lara, Gerardo Magil, Carmelo Marelli, Vicente Mariño, Juan Olivieri and Juan Pomes.

On January 17, La Nación newspaper reports the following under the title of Colony of Second Offenders:

"The Ushuaia transport left yesterday for Puerto Deseado (Port Desire), Santa Cruz, Río Gallegos, Punta Arenas, Ushuaia, Isla de los Estados and Malvinas. She takes 11 passengers in cabin and 24 in bow.

On the bow, it takes 9 women of the arrested in the Police Department and 11 convicts from the penitentiary to be employed in the colony of second offenders that will be set up in Ushuaia and in which machine and carpentry workshops will be established apart from the sawmill that has been working for some time. Both women and men volunteer to go. In the opinion of the governor, lieutenant colonel Godoy, all this people may be used with great profit in those distant coasts; the only thing to care for is the difficulty in finding clothes for women traveling and for the ones traveling later on, so he hopes some charity organization will take this opportunity to do a good deed sending some clothes."

The same daily newspaper goes on reporting about the journey on January 18:

Revolt aboard the Ushuaia

"At 7 a.m. yesterday, transport Ushuaia's administrating commander presented himself at the adjutancy of La Boca and declared that, after leaving port the day before yesterday from the south dock for the South, eight convicts that were being shipped to Tierra del Fuego rose in rebellion. Therefore, he had to cast anchor at buoy Nº 4 and sail back to ask for help in that office so that order aboard would be guarded. Adjutants Silva and Villalonga set off immediately aboard a tugboat with one petty officer and ten sailors to arrest the rebellious. Thus, the maritime authority got aboard the transport and the rebels surrendered themselves without resistance and were taken to the adjutancy from where they were taken back again to the penitentiary by a wagon of Villalonga company at 3.30 p.m.

"... The rebel leader was Florencio A. Solá, alias el tano; and the rest were Salvador Toscano, Andrés Retaglia, Juan Battistone, Pablo Díaz, José María Denis, Angel Rodríguez and Camilo Viola.

Toscano, Andrés Retagliata, Juan Battistone, Pablo Díaz, José María Denis, Ángel Rodríguez y Camilo Viola.

Los presos que llevaba el transporte eran 11 hombres y 9 mujeres, tres de los primeros, Silvio Santi, Juan Thompson y Pascual Reimondi, no tomaron parte en el motín. Las mujeres se llaman: Emilia González, Julia Fernández, Valencia Ramos, Julia Sassi, Andelia Rivero, María Rodríguez, Adelina G. del Pino, Catalina Mendez, Honoria Domínguez y María Maldonado.

"Habían sido colocados en el sollado, los hombres a popa y las mujeres a proa; para conservar el orden y custodiar esta gente no se cuenta más que con diez marineros y algunas remington y carabinas. Ayer siguió viaje el transporte para el sur."

A través de los periódicos se puede ver cómo la opinión pública se mostraba a favor del nuevo establecimiento penal. El diario La Nación del domingo 5 de enero de 1896 dice:

"Se ha designado la Tierra del Fuego para establecer en ella la colonia de penados. La ley que la ha creado ha venido a llenar una profunda necesidad social. Basta visitar nuestras cárceles, llenas de reincidentes, para convencerse de que no podía demorar más tiempo aquella fundación, cuyas ventajas de todo orden, por las que ha producido en otros países, no tardarán en hacerse sentir. Representaban aquellos un peso enorme para la sociedad, estando demostrada la ineficacia de nuestros actuales medios penitenciarios para modificarlos y corregirlos. En cuanto a aquel si no se logrará con la deportación, hacerlo desaparecer radicalmente, se lo reducirá de fijo, a proporciones mínimas. Por lo que hace al reincidente, si la colonia es lo que debe ser, no hay duda de que en muchos casos, el estricto régimen a los que deberá sometérselos les transformará por la disciplina y el trabajo, en hombres útiles y morales".

The transport was taking 11 men and 6 women prisoners. Three of the first were Silvio Santi, Juan Thompson y Pascual Reimondi did not take part in the insurrection. The women were Emilia González, Julia Fernández, Valencia Ramos, Julia Sassi, Andelia Rivero, María Rodriguez, Adelina G. del Pino, Catalina Mendez, Honoria Dominguez and María Maldonado.

Prisoners had been placed in the orlop deck, men astern and women on bow; to keep order and guard this people there are only ten sailors and some Remington guns and carbines. Yesterday, the transport went on sailing to the south."

Newspapers reflect how public opinion was in favor of the new penal establishment. La Nación newspaper on Sunday January 5 1896 says: "Tierra del Fuego has been designated to set up a convicts colony. The law that has created it has come to fulfill a social necessity. Just by visiting our prisons —full of second offenders— you convince yourself that that foundation could wait no longer as its advantages at all levels —from the experience in other countries— will soon become evident. The inefficacy of our current penitentiary system to modify and correct them being proved, those prisoners meant a heavy burden for society. As regards the other, if deportation does not make it disappear radically, it will be reduced to minimum proportions. As for second offenders, if the colony is what it must be, there is no doubt that in many cases the strict regimen to which they will be subjected to will transform them —through discipline and work— into useful and moral men."

Anexo 4

Es interesante la descripción que se hace del establecimiento el día en que el Ing. Catello Muratgia se hace cargo de la cárcel:

" Un galpón de treinta metros de largo por siete de ancho, su altura es de cuatro metros y sesenta centímetros en su centro; forrado exteriormente de zinc e interiormente de madera, con el cielo raso y piso también de madera. En este galpón se encuentran instaladas la: dirección, sub-dirección, contaduría, alcaidía, dormitorios de empleados, comedor de los mismos, comedor de los presos y alojamiento de menores, respectivamente.

Un galpón dormitorio de presos, de veinte y ocho metros de largo por siete metros de ancho, teniendo un alto en su centro de cuatro metros y sesenta centímetros, forrado exteriormente de zinc e interiormente de madera cepillada y machimbrada, de una pulgada de espesor; piso y cielo raso de madera; contiene cincuenta y seis cuchetas.

Un galpón dormitorio de los penados, con doce metros veinte y cinco centímetros de largo por seis metros treinta centímetros de ancho, forrado exteriormente de zinc e interiormente de madera. Está dividido en doce celdas y en cada una de estas existen dos cuchetas.

Un galpón de treinta metros de largo por siete metros de ancho y uno de alto y de cuatro metros y sesenta centímetros en su centro, forrado exteriormente de zinc y en parte interiormente de madera de una pulgada de espesor, con piso y cielo raso también de madera. En este galpón se encuentran instalados los depósitos de víveres, materiales, vestuario y panadería.

Un local, de cuatro aguas, de tres metros noventa centímetros por cuatro metros diez centímetros circundado por un corredor de un metro cincuenta de ancho; forrado exteriormente de zinc e interiormente de madera cepillada y machimbrada, con un cielo raso y piso también de madera. En este local está instalado el cuerpo de guardia y en su proximidad existen seis calabozos de madera y zinc.

Un local de un agua, de tres metros de ancho por seis metros veinte y cinco centímetros de largo forrado exteriormente de zinc. En este local se encuentran instaladas las cocinas.

Un local de un agua, de cuatro metros veinte y cinco centímetros de ancho por diez metros sesenta centímetros de largo, construido con chapas de zinc quemadas. En este local está instalada la herrería y carpintería".

Appendix 4

You will find the description of the establishment —corresponding to the day in which engineer Catello Muratgia assumed as director— interesting,

"A large shed of thirty meters long by seven, and four meters and sixty centimeters high at the center; its outer part is covered with zinc and the interior with boards one inch thick —including the ceiling and the floor. Storerooms for provisions, materials, clothes and bakery are situated in this shed.

A hip roof premise three meters and ninety centimeters high by four meters and ten centimeters surrounded by a corridor one meter and fifty centimeters wide; its outside part is covered with zinc and its interior with brushed and grooved wooden, with wooden ceiling and floor as well. The guard post is in this building and there are six jails made of wooden and zinc. Another three meters wide by six meters and twenty-five centimeters long premise with the exterior covered with zinc. The cookers are placed here.

A four meters and twenty-five centimeters wide by ten meters and sixty centimeters long premise built with burnt zinc sheets. The carpentry shop and the forge are in this place.

Anexo 5

Acta

"A todos los que el presente vieren, salud!
En Ushuaia, Capital del Territorio Nacional
de Tierra del Fuego (República Argentina), a
los quince días del mes de septiembre del año
de N. S. J. mil novecientos dos; siendo Presidente de la Nación el Eximo. Señor Teniente
General Don Julio Argentino Roca, y Ministro
en el Departamento de Justicia e Instrucción
Pública el doctor don Juan R. Fernández, se
procede a la colocación de la piedra fundamental del Presidio Nacional en esta localidad,
cuyo proyecto de edificación fue encomendado
por el ex Ministro del ramo Doctor Don Osvaldo Magnasco al Director de la Cárcel de Reincidentes, Ingeniero Don Catello Muratgia. Apa-
drinan el acto el Señor Gobernador Interino
del Territorio, Don Manuel Fernández Valdéz
y la Señora Doña Generosa R. de López y
forman la Comisión de Ceremonia:
Presidente Honorario
Gobernador Provisorio del Territorio, Capitán
de Fragata Don Esteban de Loqui (ausente)
Presidente
Ingeniero Director de la Cárcel de Reincidentes, Don Catello Muratgia.
Vocales
Gobernador Interino del Territorio, Don Ma-
nuel Fernández Valdéz. Jefe de la Policía del
Territorio, Don Pedro E. Reyes. Médico de la
Gobernación, Doctor Don Camilo López. Al-
caide de la Cárcel, Don Victorio Llorente.
Secretario
Contador Tesorero de la Cárcel, Don Abel
Sánchez Caballero.

Appendix 5

Minutes
"To all those who see the present, to your
HEALTH!
In Ushuaia, Capital of the National Territory
of Tierra del Fuego the Republic of Argentina,
on September fifteenth in the year nineteen and
two of Our Lord Jesus Christ; being Most
Excellent Lieutenant General Don Julio Ar-
gentino Roca president, and Doctor Don Juan
R. Fernández minister of the Department of
Justice and Education, the foundation stone
for the State Prison is placed in this locality,
which building plan was entrusted by the
former minister of the same department Doctor
Don Osvaldo Magnasco to the Director of the
Prison of Second Offenders, engineer Don Ca-
tello Muratgia. This ceremony is sponsored by
Mr. Stand-in Governor of the Territory, Don
Manuel Fernández Valdéz, and Doña Genero-
sa R. de López; the Ceremony Committee is
made up by:
Honorary President
Provisional Governor of the Territory, Frigate
Captain Don Esteban de Loqui (absent)
President
Director of the Prison of Second Offenders,
engineer Don Catello Muratgia
Members of Committee
The Stand-in Governor of the Territory, Don
Manuel Fernández Valdéz. The Chief of the
Territory Police, Don Pedro E. Reyes. The Phy-
sician of the Government, Dr. Don Camilo
López. The Warden of the Prison, Don Victorio
Llorente.
Secretary
Treasurer Accountant of the Prison, Don Abel
Sánchez Caballero

Anexo 6

Alfonso Lavado

Nació en Ushuaia en 1921 y, además de trabajar junto a su familia, estuvo en la policía del territorio e hizo el trabajo de traslado de la correspondencia por el paso Garibaldi antes de que éste estuviese habilitado para el cruce con vehículos. Su padre Osvaldo fue celador de la cárcel y tuvo un hermano guardián y otro guardiacárcel. Él nunca trabajo en el presidio.

Con respecto a las fugas nos comenta que

"no sentían miedo, porque cuando se fugaban no se quedaban en el pueblo (los fugados), se iban arriba, a la montaña. Incluso hubo ocasiones en las que se fueron y nunca los encontraron. Los últimos que se escaparon, que fueron cinco, no los encontraron jamás. Seguramente contaron con ayuda, (era de suponer que) iban con un guía chileno que conocía mucho el lugar. Antía, a él lo agarraron. Se escaparon por el Chorrillo (arroyo) que pasa por adentro de la cárcel. Pasaron por debajo de un portón. Fue en pleno invierno, (en julio), los guardianes los siguieron, y les tiraron, hiriendo al guía pero no los pudieron agarrar. El murió en la cordillera, después de cruzar las montañas de los Martiales, llegaron a Lapataia y cruzaron a Chile, y allí se escondieron. Nunca los pudieron agarrar. Al guía lo mataron los mismos presos porque se estaba desangrando por la herida que había recibido en el riñón. (sic.)

Anteriormente se habían escapado muchos. Pero después de algunos pocos días de estar escondidos entre los árboles tenían que volver al pueblo o porque los había encontrado (cercado) la policía o porque tenían hambre o frío. Nunca habrían podido salir de la isla. (sic).

No tenían temor por los presos fugados porque se iban sin ningún armamento. Cuando habia algún escape las comisiones salían para Lapataia, Remolino, a los cruces con Chile, pero a veces el hombre estaba escondido en el pueblo, o en el monte. En una oportunidad un fugado se escondió en la iglesia vieja, que ya no existe. Se trataba de Nievas, un ladrón, (el cual) se escapó disfrazado de marinero y se escondió en el campanario. Trabajando en el muelle de la cárcel, éste se hizo amigo de algún marinero que le regaló un overall y un gorrito. Así vestido cruzó todo el pueblo. Fue a hacer compras a un almacén, (seguramente) le pidió algo de plata a alguien que pasaba por la calle, compró salame, vino, mortadela y se escondió en la iglesia, lo buscaban por todos lados: (isla) Navarino, (bahía) Lapataia, etc.. De noche, cuando se le acababa la comida y el vino blanco,

Appendix 6

Alfonso Lavado

He was born in Ushuaia in 1921 and, apart from working with his family, he was a police officer of the territory and transported mail through the Garibaldi pass before the crossing of vehicles was allowed. His father was a watchman of the prison, one of his brothers was a guard and another a warder. He never worked in the prison.

As regards escapes he says that "they were not frightened as they (prisoners) did not stay in town. They went up the mountain. Some were never found. The last five that escaped were never found out. Most probably they were helped; they (probably) were guided by a Chilean that knew the place well. Antía was caught. They escaped via the Chorrillo (a stream) that runs inside the prison. They passed below a gate. It was in the depth of winter (July) and warders followed them and fired wounding the guide, but they couldn't catch them. He died in the Cordillera. After crossing the Martiales mountains, the rest arrived in Lapataia and crossed to Chile. They hid there and were never caught. The prisoners themselves killed the guide as he was bleeding profusely because of his wounded kidney.

"Many had escaped before this, but after some days hidden in a tree they had to go back to town either because the police had found (surrounded) them or because of hunger and cold. They could never have get away of the island.

"They had no fear of fugitives because they were not armed. In case of escape, commissions set off for Lapataia, Remolino or crossings to Chile. But their man was hidden in town or in the wood. Once a convict hid in the old church which no longer exists. He was Nievas, a thief who had escaped disguised as a sailor and stayed in the bell tower. Working in the prison's pier he made friends with some sailor that gave him an overall and a cap. Dressed in these clothes he went around the town. He went shopping to the store and must have asked for money to somebody in the streets. He bought salami, wine and mortadella and hid in the church. They looked for him everywhere: Navarino (island), Lapataia (bay), etc. During the night, when he had no more food or white wine, he got down and drank holy water from a small bottle at the church's door. The fact that every day there was lack of water caught the priest's attention, so one day he left it empty. Nievas had to go out to drink water. As he passed in front of the house of Romero, a quite bullying sergeant

bajaba y se tomaba el agua bendita que estaba en una botellita en la puerta de la iglesia. Al cura le llamaba la atención que todos los días faltaba agua de la botellita hasta que un día la dejó vacía, entonces Nievas tuvo que salir a tomar agua, pero justo fue a una canilla que estaba frente a la casa de Romero, un sargento de guardiacárcel bastante bravo que lo reconoció y lo llevó de nuevo a la cárcel. Esa fue una de las fugas más fantásticas (sic).

La fuga más famosa fue la de Radowitsky, que estaba preso pero muy acomodado. A él le prepararon la fuga en la misma cárcel. A los tres meses de estar allí le prepararon el equipo de guardián y así vestido salió de la cárcel, caminó por toda la calle de abajo (Maipú) y se fue hasta Bahía Golondrina, ahí lo esperaba el famoso pirata Pascualín (Ríspoli). Allí se embarcó en una goleta hacia Punta Arenas para de allí pasar a Gallegos e irse. Pascualín salió de Ushuaia y lo metió en los canales, entonces dieron el aviso a la policía y con un barco chileno lo buscaron. Lo encontraron y lo llevaron de nuevo a la cárcel, a los dos meses salió en libertad. Cuando salió, yo estaba en la escuela y regaló a todos los alumnos cuadernos, lápices y guardapolvos. Estaba bien bancado, se ve que disponía de mucho dinero." (sic).

Juan Bernales

Nació en Punta Arenas (Chile) y llegó a Ushuaia en 1923. Entre otros trabajos, se desempeñó como guardiacárcel.

Al señor Bernales no le tocó participar en ninguna fuga: "Pero recuerdo que hubo varias, incluso con algunos muertos. En el kilómetro seis o siete, del camino al bosque, donde hay una curva muy pronunciada en la que el tren pasaba muy despacio, una tarde del año 42 o 43 se deslizaron seis presos. Inmediatamente el tren paró y tres de ellos fueron muertos, mientras que los otros tres fueron recapturados (sic).

"Otra fuga, muy original, la protagonizó un preso de apellido Nievas. En la cárcel se hacían pilas de leña para el invierno, porque había veces en las estaban sin poder salir al corte durante 15 o 20 días. Nievas trabajaba en apilar los troncos. Un día pide permiso para hacer sus necesidades, va a la playa y luego de un buen rato sin aparecer el guardián va a buscarlo, encuentra el traje de preso, pero él había desaparecido. Se había fugado, vestido de marino, incluso pasó frente al centinela que se hallaba en la puerta de la dirección de la cárcel, en la calle San Martín. Estuvo fugado tres o cuatro días escondido en el campanario de la iglesia vieja de la calle Maipú. A la

warder who recognized him and took him back to the prison. That was one of the most fantastic escapes.

"The most famous escape was Radowitsky's. He was helped to escape from the prison itself. He had been for three months. They provided him with a guard's costume. In these clothes he walked out of the prison down the street (Maipú) and went as far as Golondrina bay, where the famous pirate Pascualín (Ríspoli) was waiting for him. There, he embarked on a schooner to Punta Arenas and then to Gallegos. Pascualín sailed out Ushuaia and went into the channels, so the police was informed and they followed him on a Chilean ship. Once they found him, (Radowitsky) was taken back to the prison and released in two months' time. When he was freed I was at school and he gave notebooks, pencils and dust guards to all the students as a present. It is obvious that he was influential, he was affluent." (sic)

Juan Bernales

He was born in Punta Arenas (Chile) and arrived in Ushuaia in 1923. He was a warder.

Mr. Bernales did not have to take part in any escape. But he remembers that there were several with some dead men. "In kilometer 6 or 7 of the road to the wood there is a sharp turn where the train run very slowly. On one afternoon of the year 42 or 43, six convicts slipped from the train. It stopped immediately and three of them were killed, while the other three were caught.

"Another very original escape was prisoner Nieva's: firewood for winter was piled up in the prison as in some periods they could not fell trees for fifteen or twenty days. Nievas worked piling up longs and one days ask for permission to ease his nature. He makes for the beach. After a while, the guard goes after him and finds his prisoner costume. But the prisoner had disappeared. He was disguised as a sailor. He even walked by the sentry at the door of the prison's direction on San Martín St. He was a fugitive for three or four days. He was hidden in the old church's bell tower on Maipú St. In the mornings he went shopping to Dieguez's store. The third or fourth day, Felipe Romero leaves his house, on Juan Manuel de Rosas St., and sees him passing by. Romero recognized him as he was a warder, so they came immediately for him. Everybody thinks someone helped him."

Another fugitive sailed to Navarino island on a barge, but Chileans were informed of escapes one hour later, so they immediately caught the fugitive and sent him back to Ushuaia. Some were never found. When esca-

mañana bajaba a comprar al almacén de Dieguez. Al tercer o cuarto día Felipe Romero sale
de la casa, que estaba en Juan Manuel de Rosas
y lo ve pasar, lo conoció, porque era guardiacárcel y en seguida lo vinieron a buscar. Todos
piensan que alguien debe haberle prestado
apoyo.

"Hubo otra fuga, en la que el prófugo cruzó
en una chalana a la isla Navarino, pero los
chilenos sabían de las fugas a la hora de produ-
cidas, así que inmediatamente los capturaban
y devolvían a Ushuaia (sic).

Hubo muchos que no se encontraron nunca.
Cuando se fugaban no permanecían en el pueblo, se iban para las afueras.

Otro fuga la protagonizó un español de apellido Rodríguez, que estuvo prófugo como 15
días pero después los chilenos lo entregaron a
la autoridad argentina. Cuando entró por la
puerta principal de la cárcel dijo 'de acá no me
salvo' y al otro día lo encontraron ahorcado con
la misma sábana. (sic).

En esta cárcel no se hacía huelga de hambre
ni nada por el estilo. Cuando se ponían nervio-
sos les daban una pequeña paliza, calabozo pan
y agua, y a los diez o quince días salían mansi-
tos; el que no quería trabajar ya sabía lo que le
pasaba. También se pasó una época muy fuerte, en la que uno o dos presos por semana
desfilaban para el cementerio. Era el tiempo de
un tal Faggioli que era tremendo, fue entre
1930 y 32. Los sepultaban en el cementerio del
pueblo. (sic).

Cuando venían de Buenos Aires los traían
engrillados, pero después se los sacaban. A
trabajar iban sin grilletes, en las zorras, como
llamaban a los vagones donde los llevaban. En
la última iban los guardiacárceles." (sic).

Julio Canga

Su padre llegó a Ushuaia en 1910 para
trabajar en la cárcel.

Entre las anécdotas que contaba su padre
recuerda "que una vez estuvo muy recargado
de trabajo porque un preso se había fugado y
sabían que posiblemente se había escondido
dentro de los talleres, por eso tenían que levan-
tar los pisos, para buscarlo. Estaba en un
entrepiso. En la noche bajaba a la cocina y
sacaba la carne. De día, cuando la cocina estaba
en actividad el caño que pasaba donde él se
hallaba estaba caliente, entonces ponía la carne allí para que se cocinara, con eso se alimen-
taba, pero con el tiempo la grasa fue bajando y
eso llamó la atención y así lo encontraron.
Cuando había una fuga lo buscaban durante 45
días. Después de ese lapso se levantaban las
comisiones y se lo daba por perdido. Las fugas

ped, they never stayed in town. Then went into
the outskirts.

*The Spanish Rodriguez was also a fugitive
for about fifteen days, but the Chilean found
him and sent him to the Argentine authorities.
When he entered the prison's main door he said:
'I can't get out of here' and the following day he
was found hung with a sheet."*

*There were no hunger strikes in this prison.
When prisoners rebelled they were beaten and
fed on bred and water. Ten or fifteen days after
they came out of the dungeon meek. They knew
well what would happen if they did not work.
There were hard times —between 1930 and
1932— when one or two prisoners a week ended
up in the cemetery. There was a Faggioli, a
fierce man. They were buried in the town cemetery.*

*They came from Buenos Aires with shackles
on, which were then taken out. they went to
work without them on wagons called zorras.
Warders traveled on the last one." (sic)*

Julio Canga

*His father arrived in Ushuaia in 1910 to
work for the prison.*

*He recalls one of his father's anecdotes: "Once
he had to overwork because there was a fugitive
that might be hidden in some workshop, so they
had to remove the floor to look for him. He was
in the mezzanine. During the night he went
down to the kitchen for meat. In the daytime,
when there was activity, the pipe that run where
he was was hot so he could cook the meat there.
As time went by, the fat started to leak and this
called the attention and he was found. When
there was an escape, the prisoner was looked for
for 45 days. Then, commissions stopped working and he was reported missing. Escapes
always took place in summer because winter
was very hard and it was difficult to survive,
especially if the prisoner had no weapon and
could not kill some animal to eat. The only cares
we took in case of any escape were go to bed early
and avoiding walking in the streets in case
there were a shooting. As children, we were
eager to know what had happened." (sic)*

*His parents usually commented on escapes.
They said that "on one occasion, four prisoners
escaped by the back of the prison, where the
naval hospital is, and agreed to meet. To gather
they bleated as sheep and stayed in the outskirts
till they could find something to eat. In that
opportunity, people were a bit worried —they
put tables against doors in case one of the
convicts tried to get in. The inhabitants were
uneasy till the fugitives were found. But if they
were not helped from outside, it was very diffi-*

siempre eran en verano, porque el invierno era muy riguroso, la supervivencia para los que se escaparan era muy difícil sobre todo no teniendo armas, sin poder matar algún animal para alimentarse. Cuando se producía alguna fuga los únicos recaudos que se tomaban eran el recogerse temprano (irse a la casa temprano), no andar por la calle para evitar ya sea una confusión o el estar en el medio de un tiroteo. A nosotros, como chicos nos quedaba siempre una gran expectativa por saber qué había pasado." (sic).

En muchas ocasiones sus padres comentaban las fugas. Según decían "una vez se escaparon cuatro presos por los fondos de la cárcel, donde está el hospital naval, y quedaron en encontrarse para ubicarse gritaban como corderos, así se fueron juntando y se quedaron por los alrededores, hasta que pudieran conseguir algo para comer. En esa oportunidad hubo en la población algo de miedo. La gente apoyaba las mesas en las puertas por si alguno trataba de entrar, estuvieron un tiempo intranquilos hasta que los encontraron. Pero si no recibían apoyo de afuera era muy difícil que pudieran sobrevivir. Hubo un caso en que, aparentemente un anarquista, logró fugar ayudado por Chile, porque dicen que después mandó el birrete al presidio desde Rusia." (sic).

cult for the fugitives to survive. There was the case of an anarchist who, apparently, escaped helped from Chile as it is said that, later on, he sent his cap to the prison from Russia." (sic)

Anexo 7

Poesías encontradas en el libro "El Carpintero Moderno", de la biblioteca "Presidente Yrigoyen" de la Cárcel de Ushuaia.

"Lo que Soy"

Pues voy a decirle el yo
de mi alma triste y perpleja
al dejar mi pobre vieja
que tanto por mi sufrió.

Soy un cero solitario
que vive lejos del mundo
me agobia el dolor profundo
que sufre en este calvario.

Elevo a Dios mis plegarias
de mi mente sin cultura
pidiendo mi sepultura
en esta tierra legendaria.

Si habla mi alma no es extraño
que en esta tierra sucumba
tal vez se incline a la tumba
antes de llegar el año.

Ya ha visto su desengaño
al tomar su derrotero
y escribirlo quiere en madero
que para el mundo es extraño.

Las piedras sean paredes
de mi rústico cajón
donde yace un corazón
que hablarle quiere y no puede.

N.N.

¡Silenciosa está Ushuaia
con aspecto sepulcral
solo la marcha triunfal
del sayón se oye ese día!
¡Un año quién lo diría
que duerme en el cajón...!
¡Ya llegará la ocasión
de ver hinchado al verdugo
dando cuenta de su yugo
eslabón por eslabón!

N.N.

Fragmento de un manuscrito firmado por el penado Miguel Fernández en 1915 y titulado "Psicología Penal".

Appendix 7

Poems from the book El Carpintero Moderno (The Modern Carpenter) from library "President Yrigoyen" of the Prison of Ushuaia.

"Lo que Soy"

Pues voy a decirle el yo
de mi alma triste y perpleja
al dejar mi pobre vieja
que tanto por mi sufrió.

Soy un cero solitario
que vive lejos del mundo
me agobia el dolor profundo
que sufre en este calvario.

Elevo a Dios mis plegarias
de mi mente sin cultura
pidiendo mi sepultura
en esta tierra legendaria.

Si habla mi alma no es extraño
que en esta tierra sucumba
tal vez se incline a la tumba
antes de llegar el año.

Ya ha visto su desengaño
al tomar su derrotero
y escribirlo quiere en madero
que para el mundo es extraño.

Las piedras sean paredes
de mi rústico cajón
donde yace un corazón
que hablarle quiere y no puede.

N.N.

His soul is sad because he left his suffering mother and considers himself an outcast. In his prayers, he asks God to be buried in this land as he thinks he will die soon. The prison's walls are as the sides of the coffin where his heart lies unable to speak.

¡Silenciosa está Ushuaia
con aspecto sepulcral
solo la marcha triunfal
del sayón se oye ese día!
¡Un año quién lo diría
que duerme en el cajón...!
¡Ya llegará la ocasión
de ver hinchado al verdugo
dando cuenta de su yugo
eslabón por eslabón!

N.N.

La Psicosis Carcelaria

... Un delito, no es sino una imitación de la imagen que otro sugestiona y graba en el cerebro. El delito, no es un factor manejado por el destino, no es un deseo que siente el delincuente por mero capricho, ni es nato en sujeto alguno. El instinto no obra sin la asimilación, el instinto animal está plenamente deducido en la notable obra de Luis Buchener, 'Fuerza y Materia' y vemos que no es sino una consecuencia de asimilación tomada de la acción primitiva.

"¿Consideramos que el delito es una enfermedad o creemos que es una necesidad físico - psíquica que pone en acción la idea grabada en el cerebro? Yo he creído siempre lo último, he analizado las causas que determinan la acción del sujeto, y he podido apreciar que son muy naturales y propias de la herencia de las pasadas generaciones, pero no herencias físicas o inertes, no herencias orgánicas o patológicas, sino herencias psíquicas, que son las verdaderas manifestaciones de la acción y existencia de los seres y las cosas..."

Al finalizar el libro, luego de dos poesías, su firma y la fecha agrega una nota que pone de manifiesto su educación e intención:

"Nota: Por falta de papel, no me ha sido posible hacer ciertas correcciones, que se conscientemente que he cometido.

Pero como estas se hacen generalmente, al sacar la primera prueba de imprenta, fácil es subsanar los errores que puedan haber.

He escrito directamente aquí.

No se sabe quién era Miguel Fernández ni por qué fue a parar a Ushuaia. El manuscrito sigue estando en Ushuaia, en un libro foliado de 199 páginas.

Ushuia is silent and resembles a cemetery and it is a year since somebody's death. The author wishes the executioner dies in a way that makes him suffer for his deeds.

Extract taken from prisoner Miguel Fernández manuscript: "Penal Psychology" (1915).

"The Prison Psychosis"
(...) An offense is nothing but an imitation of the image that another induces by suggestion and records in his or her brain. Crime is not a factor ruled by fate; it is neither a desire the offender feels merely as a caprice nor an innate condition. Instinct does not act without assimilation; animal instinct is fully inferred in the remarkable work of Luis Buchener, 'Force and Matter', and we can see that it is a consequence of assimilation taken from the primitive action.

"Do we consider that crime is an illness or do we believe it is a psycho-physic need that puts an idea recorded in the brain into action? I have always believed the latter. I have analyzed the causes that determine the action of the individual and I could judge they are really natural and inherent to past generations' heritage. Not physical or inert, not organic or pathologic heritage but psychic, which is the real expression of the action and existence of beings and things..."

At the end of the book, following two poems, his signature and the date, he adds a note which shows his education level and intention:"Note: Due to the lack of paper I could not correct certain mistakes I am aware of.

"But as these mistakes are regularly corrected in the first proof sheet, it is easy to correct any possible mistake.

I have written directly here."

It is not known who Miguel Fernández was and why did he end up in Ushuaia. The manuscript —a foliated book of 199 pages— remains in Ushuaia.

Anexo 8

Considerandos y Decreto del Poder Ejecutivo donde se dispone el cierre de la cárcel y la compra del predio por parte del Ministerio de Marina.

Buenos Aires, marzo 21 de 1947.

Considerando:

Que corresponde a la Dirección General de Institutos Penales, intérprete del propósito del Poder Ejecutivo ya puesto en evidencia en disposiciones recientemente adoptadas, la tarea de aplicar a la moderna técnica carcelaria las bases de una humanización acorde con las nuevas leyes de justicia social, y de respeto del factor hombre, no vulneradas por su eventual desarraigo de la sociedad de la que forma parte indivisible;

Que no existen disposiciones legales ni razones de técnica penitenciaria que obliguen a mantener la Cárcel de Ushuaia (Tierra del Fuego), ya que el Código Penal sólo impone, para ciertos casos, la reclusión en un paraje de los Territorios del Sur;

Que es posible lograr que la población penal alojada en dicha Cárcel sea trasladada a otros establecimientos penitenciarios de la Nación, sin vulnerar lo dispuesto en el Artículo 51 del Código Penal;

Que son muchos los inconvenientes que resultan de la permanencia de ese establecimiento en lugar tan alejado y con escasos e irregulares medios de transporte marítimo, que imposibilita una intensa y organizada producción carcelaria;

Que los rigores del clima y la prolongada estadía en el lugar afecta por igual y considerablemente al personal y a los reclusos del establecimiento;

Que la Gobernación Marítima de Tierra del Fuego y las autoridades de la Cárcel, han solicitado el envío de ciento cincuenta penados en buenas condiciones de salud para atender las exigencias de los talleres, y que satisfacer dicho pedido puede importar la desnaturalización de la finalidad readaptiva de la pena;

Que las mismas autoridades han pedido el regreso de penados de avanzada edad y otros enfermos y valetudinarios y que con la medida que se adopte se cumple el pedido y se satisfacen las exigencias de una racional política criminal;

Que constituye una eficaz forma de existencia social y de humanizar el cumplimiento de las sanciones privativas de libertad brindar a los reclusos y a sus familiares, en cuanto sea posible una periódica vinculación afectiva directa, mediante las visitas que establecen los reglamentos penitenciarios, las que al par de

Appendix 8

Legal Reasons and Decrees of the Executive which order the closing of the prison and the purchase of its premises by the Navy Department.

Buenos Aires

March 21, 1947

Whereas:

It corresponds to the General Direction of Penal Institutes, interpreter of the purpose of the Executive already given away in resolutions recently adopted, the task of applying the basis of humanization to modern prison techniques according to the new laws of social justice, and of respect for the man, not harmed by his fortuitous uprooting of the society of which he is and indivisible part;

There are neither legal dispositions nor reasons of penitentiary technique that compel to keep the Prison of Ushuaia (Tierra del Fuego) open, since the Penal Code only imposes, in certain cases, confinement somewhere in the Southern Territories;

It is possible to transfer the penal population lodged in the Prison mentioned to other penitentiary establishments of the Nation, without avoiding what Article 51 of the Penal Code disposes;

There are a number of obstacles resulting from the existence of that establishment in such a distant place with scarce and irregular maritime means of transport that makes it impossible an organized and thorough production of the prison;

The severe climate and long stays in the place affect substantially both the staff and the prisoners of the establishment;

The Maritime Government of Tierra del Fuego and the authorities of the Prison have asked for a hundred and fifty convicts in good health conditions to work in the workshops, and fulfilling such a request would imply the denaturalization of the corrective aim of the penalty;

The same authorities have asked for the aged, the ill and the valetudinarian prisoners to return, and the measures taken will fulfill this requirement and will satisfy the demands of a rational criminal policy;

To offer convicts and their relatives, as soon as possible, a regular direct affective contact through visits established by penitentiary regulations is an effective way of social life and of humanizing the serving of penalties that deprive of freedom. Visits which both encourage familiar feelings and the prisoners' social correctional process;

The works in the Maritime Government of Tierra del Fuego required a number of workers

vigorizar los sentimientos familiares son también factor ponderable en la obra de readaptación social del recluso;

Que las obras que se realizan en la Gobernación Marítima de Tierra del Fuego han llevado el Territorio numeroso personal, que no encuentra vivienda adecuada y que estos inconvenientes serán aún más señalados a medida que el desarrollo de los trabajos imponga la necesidad de mayor número de obreros;

Que la demanda de alojamiento y de comodidades para dicho personal puede atenderse si se entrega el edificio carcelario a la Gobernación Marítima y se efectúan las reformas necesarias para adaptarlo a su nuevo destino y que los talleres del Establecimiento pueden luego ser utilizados para la fabricación de elementos destinados a las obras que se realizan en el Territorio y a la confección de artículos para la población del lugar;

Que el Ministerio de Marina ha expresado su conformidad para adquirir el edificio carcelario, talleres y dependencias siendo conveniente, a los efectos de determinar su valor, la designación de una comisión de peritos integrada por funcionarios de los Ministerios de Justicia e Instrucción Pública y de Marina, con participación activa de la Dirección General de Institutos Penales;

Que de conformidad a lo dispuesto en el Artículo 19 de la Ley 11.833 esa suma debe ingresar a la cuenta especial que aquella crea y ser destinada a construcciones carcelarias;

Por ello, el Presidente de la Nación Argentina.- Decreta:

Artículo 1º - Suprímese la Cárcel de Ushuaia (Tierra del Fuego).

Art. 2º - El Ministerio de Marina adquirirá el edificio, talleres y demás dependencias. Una comisión paritaria integrada por funcionarios de los Ministerios de Justicia e Instrucción Pública y de Marina, con Representación de la Dirección General de Institutos Penales determinará su valor.

Art. 3º - El Ministerio de Marina oportunamente transferirá la cantidad que establezca la comisión paritaria al Ministerio de Justicia e Instrucción Pública, para su ingreso a la Cuenta especial "Ley 11.833 - Organización Carcelaria y Régimen de la Penal" y con destino a construcciones carcelarias.

Art. 4º - El presente decreto será refrendado por los señores Ministros Secretarios de Estado en los Departamentos de Justicia e Instrucción Pública y Marina.

Art. 5º - Publíquese, comuníquese, anótese y dese al Registro Nacional.

Perón.- B. Gache Pirán.- F. L. Anadón.

who do not find proper accommodation, and these drawbacks will become worse as the works advance and demand more workers;

The requirements of accommodation and facilities for the workers mentioned may be satisfied if the building of the prisons is given to the Maritime Government and if the necessary reforms are carried out to adapt the building for its new aim and if the Establishment's workshops are then used for the manufacturing of elements for the works being done in the Territory and for the making of articles for local inhabitants;

The Navy Department has expressed its agreement on the purchase of the prison's building, workshops and other premises being convenient, in order to determine its price, the assignment of an appraisers' committee composed of officials from the Ministry of Justice and Education and from the Navy Department, with the active participation of the General Direction of Penal Institutes;

In agreement with Article 19, Law 11.833, that amount must enter the special account created by that law and must be spent in the building of prisons;

Therefore,

The President of the Argentine Nation.-
Decrees:

Article 1º - The Prison of Ushuaia (Tierra del Fuego) is suppressed.

Art 2º - The Navy Department will purchase the building, workshops and other premises. A committee on equal terms composed of officials from the Ministry of Justice and Education and from the Navy Department, with the Representation of the General Direction of Penal Institutes, will determine its value.

Art 3º - The Navy Department will transfer in due time the amount established by the committee to the Ministry of Justice and Education to be entered in the Especial account "Law 11.833 - Prisons Organization and Penal Regimen" destined to the building of prisons.

Art 4º - The present decree will be countersigned by Ministers and Secretaries of State of the Ministry of Justice and Education and of the Navy Department.

Art 5º - Publish, impart, and enter the National Register.

Perón.- B. Gache Pirán.- F. L. Anadón.

Anexo 9

Hubo un hombre que además de elegir el lugar, planeó y comenzó la construcción del edificio. También presentó ante las autoridades nacionales un reglamento para el presidio.Vale la pena recordar un poco su vida.

Ingeniero Catello Muratgia

Nació en Nápoles, Italia, el 12 de agosto de 1861. Vino a Buenos Aires en 1883 y prestó servicios profesionales en calidad de ingeniero de la municipalidad y a la compañía de tranvías. Estudió, entretanto, el problema de los presidios argentinos. Estudió la región de Ushuaia planificando la ubicación del presidio. Se hizo cargo de la construcción de la colonia penal de Ushuaia en 1902 y de la dirección del establecimiento hasta 1909. Desde 1911 hasta 1915, dirigió la cárcel de encausados de Buenos Aires y participó de la reforma de la de Rosario.

Colaboró con el diario "La Prensa" sobre temas relativos a la especialidad. Publicó, entre otros, los siguientes libros: "Breve Estudio de la Regeneración de los Delincuentes" (1905); "Presidio y Cárcel de Reincidentes de Tierra del Fuego. Antecedentes" (1909); "Proyecto y Reformas Carcelarias", en colaboración con Armando Claros y Diego González; "La Edificación Carcelaria Nacional".

Falleció el 23 de noviembre de 1924.

En la revista Penal y Penitenciaria (enero - marzo de 1938) leemos : "... por resolución de la Dirección General, se dispuso que la chata que hace el servicio en el puerto de Ushuaia, de propiedad del presidio, lleve el nombre de "Ingeniero Catello Muratgia".

"...Ushuaia le debe gran parte de su progreso como ciudad y la República uno de los establecimientos mejor dotados y de características más avanzadas con respecto a la época en que fue construido.

...Las ideas que presidieron la elaboración del proyecto, al que llamó 'Colonia Penal', adelantándose a la época y a las posibilidades de la Nación y la forma como encaró la construcción, dando casi plena libertad a los presos de acuerdo al avanzado sistema de trabajo all'aperto, colocan al ingeniero Muratgia entre los más fecundos promotores del movimiento carcelario argentino..."

Appendix 9

There was a man who, apart from choosing the place, planned and started the construction of the building. He also presented a regulation for the prison to the national authorities. It is worth remembering some details of his life.

Engineer Catello Muratgia

He was born in Naples, Italy, on August 12, 1861. He arrived in Buenos Aires in 1883 and worked as an engineer for the municipality and for the tram company. Meanwhile, he studied the problem of Argentine prisons. He studied the region of Ushuaia planning the location of the prison. He was in charge of the building of the penal colony of Ushuaia in 1902 and he was the director of the establishment up to 1909. From 1911 to 1915, he directed the prosecuted prison of Buenos Aires and took part in the reform of the prison of Rosario.

He collaborated with La Prensa newspaper dealing with subjects related to his speciality. He published, among others, the following books: "Breve Estudio de la Regeneración de los Delincuentes" (1905), "Presidio y Cárcel de Reincidentes de Tierra del Fuego. Antecedentes" (1909), "Proyecto y Reformas Carcelarias" together with Armando Claros and Diego González, "La Edificación Carcelaria Nacional" He died on November 23, 1924.

In the Penal and Penitentiary magazine (January-February 1938) we read: "... by a resolution of the General Direction it was ordered that the scow offering service in the port of Ushuaia, which belongs to the prison, is named under "Engineer Catello Muratgia".

...Ushuaia owes him an important part of its progress as a city and the Republic one of the best endowed and advanced establishments for the time it was built."

...The ideas that governed the elaboration of the project, that he called 'Penal Colony', in advance to his time and to the possibilities of the Nation, and the way he faced the building giving prisoners a great deal of freedom according to the advanced system of work all' apperto, placed engineer Muratgia among the most prolific promoters of the Argentine prisons movement..."